COUNSELLING FOR TOADS:
A PSYCHOLOGICAL ADVENTURE

Robert de Board

蛤蟆先生
去看心理医生

〔英〕罗伯特·戴博德 著

陈赢 译

天津出版传媒集团

天津人民出版社

果麦文化 出品

前情与导读

　　蛤蟆本是一个热情、时尚又爱冒险的家伙，惹出过不少麻烦和笑话。可他现在陷入抑郁，不能自拔。他的朋友们决定出手相助，其中包括智慧又威严的獾、关心朋友但有点絮叨的河鼠，还有体贴善良的鼹鼠。他们商量来商量去，决定督促蛤蟆重视这个问题，并带他去接受心理咨询。

　　于是本书故事就此展开。

　　虽然书中人物的基本设定来自英国作家肯尼斯·格雷厄姆的经典著作《柳林风声》，但只是借用了《柳林风声》的人物形象。如果你没有看过《柳林风声》，也绝对不会影响你对本书的阅读和理解。

　　在故事最后，经过与咨询师苍鹭的十次面谈，在蛤蟆心中，一些变化终于悄无声息地发生了……

CONTENTS 目录

第一章
整个人都不太好

河岸的天气渐渐变了，空气中弥漫着一丝前所未有的不祥气息。乌云阴沉地笼罩着田野，黑压压的，令人不安。几只鸟儿漫无目的地在灌木树篱里飞来飞去，唱着不成曲的调子。鸭群平时总为谁冷落了谁、谁羞辱了谁而嘎嘎地争执，现在却一头躲进芦苇丛中，专注地待着，除非遇到最严重的袭击，否则一概不理会。唯有漆黑蜿蜒的河水依旧流淌着，千变万化的样子底下却是一成不变的性情。河流为一些动物划分了地界，也成为另一些动物的高速公路。水流默默地积聚威力，看似谦逊低调，可谁要轻视了它，它危险重重的能量就会爆发。

　　天气这么闷，鼹鼠决定出门走走。老实说，他和河鼠的生活不说令人厌烦，至少也让他焦躁。可就连这种想法也会使他感到内疚。难道不是河鼠和他交朋友，帮助他从了无生趣的老宅子里走了出来，介绍他认识了一群欢乐的小伙伴？他们是多好的朋友，又一起经历过怎样的奇遇啊！

可是，可是……鼹鼠很难确切地说出他的感受，只知道这一切都和他自己有关。事实上，息息相关！他感到几乎没法做他自己，因为他总活在河鼠的影子里：要是他们去划船，河鼠总会说鼹鼠划得不对，比如拿桨的姿势错了；等把船停好了，河鼠又会检查缆绳，确保鼹鼠系对了绳子，还雷打不动地非要把绳子在柱子上再绕一圈。

要是迷路了，河鼠总能找到路，比如有一次在野树林，他把鼹鼠从暴风雪中解救了出来。还有一次，他们徒步走了很久，恰好路过鼹鼠的老宅子，离家多日的鼹鼠突然无比思念自己的家，一时百感交集、情难自禁，还不是一向能干的河鼠掌控大局，喊田鼠们买来了吃的喝的，安排大家度过了一个美妙的夜晚。

问题是，河鼠还真的是比鼹鼠能干。论划船，河鼠划得更好；论打绳结，河鼠会打更多的花样（他甚至会打四方结），而他也确确实实在照顾鼹鼠。可即便拥有了河鼠这般的友谊和善意，鼹鼠还是不满意。他宁愿河鼠不要总这么能干，能允许他用自己的方式去尝试，哪怕做错了也没关系。

当然，这种情况并不是没有发生过。比如第一次同河鼠坐船，他一把抓起船桨，却把船弄翻了，又是好脾气的河鼠把他救了上来。可鼹鼠想的却是："要是再让我听到河鼠在晚餐时提起这事儿，我一定会吼他！"

　　鼹鼠一边穿上雨衣，戴上雨帽，一边想着这些事。他对河鼠说："我找蛤蟆串门聊天去了。咱们很久没见他了，走一走对我也有好处。"河鼠正喃喃地读着诗歌，绞尽脑汁地思索着哪个词能和"冒泡"押韵，几乎没有抬眼。可当鼹鼠正要走出门时，他突然喊道："小心点儿，鼹鼠。想一想上次你一个人出去发生了什么！"他说的当然是鼹鼠在野树林里迷路，被河鼠出手相救的事情。鼹鼠气极了，愤愤地嘟囔了几句河鼠的坏话，接着大声说道："谢谢你，河鼠！我会当心的。"他又小声地加了一句："你这贼眉鼠眼的啮齿蠢货。"河鼠自然没听见这句，他也绝非如此不堪，可这么说能让鼹鼠心里舒服一些。

　　鼹鼠就在这种心情下向蛤蟆庄园走去，路上遇到了兔子们。兔子很有礼貌地问候他，他也顾不上搭理。他知道，自打他住到了河岸，就赢得了他们的尊重，没人会再像以前那样问他收过路费。他们敢！可他仿佛听到其中一只兔子阴阳怪气地说："这可就奇怪了。鼹鼠一个人出门？还真是少见啊！"

又是在这样惨兮兮的心境下，他发现自己走到了蛤蟆庄园的车道上。蛤蟆庄园的雄伟壮观是不容置疑的。最近还有一本光鲜的本地杂志这样描述它："绅士官邸，大隐于市，享纵览野树林之开阔视野，得漫步遍野繁花之田园雅趣，且有围场楼宇在外。"难怪蛤蟆对这栋豪宅如此引以为傲。

可当鼹鼠走过了长长的车道，却吃惊地发现，四周是一派破落景象。树篱枝叶无人修剪，玫瑰花坛杂草丛生，草坪上也落满了黄叶，整一个蓬乱凋敝、无人打理的样子。连蛤蟆庄园的建筑也显得阴森可怖起来，原本在阳光下熠熠生辉的白漆，现在却斑驳脱落，黯然失色。曾给庄园平添生气的爬山虎和野蔷薇，如今却奄奄一息，像一条条黑色的绳索一样耷拉着。以往一尘不染、闪闪发亮的窗户，如今只映照出阴霾的天色，更加重了不祥的氛围。鼹鼠不禁打了个哆嗦。

他按下门铃，蜂鸣的铃声回荡在房子深处。无人应声，于是他按了第二下，再一次铃声大作，可还是没有回音。"哦，好吧，"鼹鼠想，"我猜蛤蟆出门玩去了。他可能正在俱乐部打桌球呢。"要知道蛤蟆可是打桌球的行家里手。

鼹鼠并不愿就此放弃，而是绕道菜园，走向了房子的后门。他趴在厨房窗户前想看看里边有什么。屋子里没有人，可炉子还生着火。他很熟悉这间屋子，里头有几把舒适的旧椅

5

子。记得有一个冬日，他和蛤蟆就这样坐在椅子上，享用着大杯的热咖啡。随即他发现，一把椅子上摆着一大堆旧衣服。忽然，衣服动了起来！衣服从椅子上掉了下来！胆小的鼹鼠差点儿逃回菜园，因为他看见，旧衣服底下是……是蛤蟆！

鼹鼠用力一拉，后门出乎意料地开了。屋子里面是他从未见过的有史以来最悲伤的蛤蟆。蛤蟆的大眼睛半睁着，神色黯淡。他总爱在家穿的板球毛衣上沾满了食物的油渍。还有他的灯笼裤，以前总那么合身，此刻却像两只装土豆的麻袋一样从腰上松松垮垮地垂落。

"你好，"蛤蟆说话了，"有点儿乱，抱歉了，可我现在整个人都不太好。"说完，他便放声大哭起来。

第二章
挚友前来相助

从蛤蟆庄园往回走的路上，鼹鼠的心里乱糟糟的。蛤蟆一向是大家的开心果，一点儿小事就容易兴奋，如今怎么就把自己弄成了这副可怜巴巴的样子？

　　鼹鼠回想起这些年来和蛤蟆度过的时光。不管蛤蟆在做什么，他都会衣着光鲜得到了滑稽的份儿上。鼹鼠尤其记得蛤蟆对汽车的痴迷，还有他像模像样的兜风装扮：宽大的格子大衣和斗篷、亚麻面料的长风衣、一顶反戴的配套鸭舌帽、一副护目镜。和这一身行头相配的，是一副大大的黄色皮革长手套。

　　那时，獾对蛤蟆的打扮不屑一顾，说他穿的是奇装异服，所以没有哪个自尊自爱的动物会愿意跟他站在一起。可獾错了。鼹鼠觉得，相比自己身上一成不变、沉闷的黑色吸烟服[1]，蛤蟆衣着明快，简直是风度翩翩。

鼹鼠意识到，蛤蟆现在脏兮兮的样子背后，是精神和内心经历的重大变化。以前的他穿着时髦，偶尔打扮夸张，看上去神采奕奕，充满活力和生趣，活脱脱是一只非凡的蛤蟆。扎眼的花呢夹克衫、宽松的灯笼裤，还有粉色的利安德划船俱乐部蝶形领结，完美配合了他蹦跶的步子、招摇的身姿。现在这只不洗澡、不梳洗、毛衣上还粘着食物残渣的蛤蟆，到底处在怎样的情绪状态下？鼹鼠真不敢承认，以前总爱抹一点儿高档古龙香水的蛤蟆，现在身上竟有些臭烘烘的。

吃过晚餐后，河鼠和鼹鼠坐在明亮的火炉前，烘着脚趾，小口抿着热甜酒。自然，鼹鼠把蛤蟆的事情都告诉了河鼠。之后，他们再没聊别的，时不时发出"啧啧"声，或是讨论着"我们可以做什么"和"到底发生了什么"。渐渐地，对话停息了，他们各自注视着火光，沉浸在自己的思绪里。

终于，河鼠拿起本地周报，漫不经心地翻阅。鼹鼠快睡着的时候，河鼠突然直挺挺地坐了起来。

"鼹鼠，听听这个！"他用命令的口气说道。

1　旧时西方上流社会里，男士在晚餐后会换上轻便的吸烟服，到吸烟室中吸烟、交谈。

"河鼠，你不是又在看小广告了吧，啊？"鼹鼠昏昏欲睡地回答。河鼠喜欢看看有没有便宜货，虽然很少发现什么。

"安静，"河鼠很少这么厉声说话，"听好！"接着他开始朗读刊登在《河岸号角》上的如下广告：

"资质合格的咨询师，诚接新来访者。凡有个人问题且致不快或忧虑者，皆可预约。欢迎垂询苍鹭小筑 576 号。"

"好吧，"鼹鼠并没有认真在听，"所以呢？"

"你这任性又愚蠢的家伙！"河鼠说道，他也不是第一次这么骂鼹鼠了，"你没明白？这说不定能帮助可怜的蛤蟆！"

鼹鼠这下真醒了："你该不是在说，蛤蟆深陷抑郁吧？他也许只是肠胃不舒服。你知道蛤蟆爱吃，还爱喝酒。"

诚然，蛤蟆做事有时确实会——用他自己的话来说——"做过头"。大家都知道他饮酒过量。河鼠和鼹鼠很少会喝超过一杯雪莉酒或是一杯啤酒，用他们严格的道德观来看，蛤蟆偶尔的饮酒作乐确实过头了。

"不对，"河鼠说，"我不想说我理解他的种种行为，因为我本身是简单又率真的动物。"（此时鼹鼠开始对着马克杯咳嗽，断断续续地说自己呛到了。）

"但是，"河鼠继续说，"我很担心蛤蟆，我建议明天你和我一起去看他。我担心他会做傻事。"河鼠虽没有明确解释这句话的意思，但他们心照不宣地交换了忧虑的眼神。

"另外，我认为我们应该给蛤蟆看看这则广告，让他去见咨询师。"

"你觉得他愿意吗？"鼹鼠问，"毕竟他很有自己的想法，非常自我和固执。"

"你说得对，"河鼠表示同意，"但如果他现在处在你说的那种状态下，他就会乖乖听我们的！"

约定好了，他们俩便钻进被窝，却仍对明天的事忧心忡忡，不知道蛤蟆会怎样回应他们的援助计划。他们是一定要施以援手的，不管蛤蟆愿不愿意。

于是第二天早晨，吃过早餐后，鼹鼠再一次匆匆走在去蛤蟆庄园的路上，这一次还有河鼠陪同。他们一边走，一边又讨论起蛤蟆不快乐的情形可能是什么引起的，该怎么帮助他。河鼠揣着印有咨询广告的报纸，虽然鼹鼠早就记住了那个电话号码。突然，一个深沉的嗓音在他们左边低沉回响："鼠儿，我亲爱的年轻人，还有鼹儿。你们俩在这儿干什么？"

鼹鼠几乎吓得魂不附体，河鼠却说："是獾啦。"正当他们向左边的林子里探头看时，一个带条纹的脑袋露了出来，紧接着整只獾的身体出现了。

"獾呀，"河鼠说道，"真想不到！我还以为你在家里睡——"话说一半他打住了，"我是说，工作。"

"是这样，"獾说，"可这里有些工作要做。事实上，是关乎一个计划申请。作为一名区议会议员（獾重点强调了后面这几个字），我想着还是亲自过来调查一下。"接着他用和蔼的语气问："可你们来这儿做什么？你们俩的表情很严肃啊。"

树林里有一片空地，他们仨坐了下来，鼹鼠在河鼠的帮助下，把蛤蟆的事情告诉了獾，描绘了他那副惨兮兮的样子，还告诉獾，就在此刻，他们正在前去帮助蛤蟆的路上。獾的脸色阴沉了下来。

"我一点儿都不吃惊，"他说，"我们没必要批评自己的朋友，但是（鼹鼠一直在等这个'但是'）我一早就预料到会发生这样的事。蛤蟆身上有很多优秀的品质，我就不赘述了，可他骨子里是软弱、不安分的。一直以来，总有朋友给他忠告良言，明确告诉他该做什么。可一旦少了这些朋友在身边，他便由着自己的性子，被愚蠢、病态的念头牵着鼻子走。我这就陪你们一起去跑这趟好心的差事。必须有人不容置疑地告诉他，他得振作起来！"

鼹鼠与河鼠被獾的积极态度和决心给打动了，三个好友手挽着手，獾在中间，目标明确地一齐向蛤蟆庄园迈进。幸运的蛤蟆！援手就要来了！

第三章
初见咨询师

要说接下来几天发生的事儿，可得花不少时间才能讲完。总之，蛤蟆的朋友们先是精心照料了他，接着鼓励他，然后严正告知他必须振作起来。最后，他们把蛤蟆将要面临的凄惨前景讲得明明白白，用能言善辩的獾的原话说，这些坏事都会降临，除非蛤蟆"控制好自己的情绪"。

　　然而这些对蛤蟆都没用。他尽其所能地回应朋友们，可曾经那只曾经充满活力的蛤蟆不见了。以前的他可是急切地要反驳朋友的好心劝告的，如今，原来的蛤蟆连个影子都不剩了。他依旧悲伤忧郁，朋友们越是细致地劝说他该怎么做，他就越是悲伤忧郁。

　　终于，獾看不下去了。这个令人钦佩的家伙，虽擅长规劝，却缺乏耐心。

"听着，蛤蟆，这一切必须到此为止。我们都在努力帮你，可你似乎并不想（鼹鼠敏锐地觉察到，蛤蟆不是不想，而是没办法）帮自己。现在只剩下一个法子：你必须接受心理咨询！"

一阵惊愕的沉寂，连蛤蟆都直了一下身子。在场没有谁真正清楚心理咨询意味着什么，只知道这是针对经历过严重或可怕事件的人们进行的一项神秘的活动。

河鼠骨子里还是有点儿保守，他说："你当真认为蛤蟆有那么糟糕？我是说，你不觉得心理咨询这东西，现在有点儿成了赶时髦？看报纸上写的，好像现如今每个人都在接受心理咨询。我那个年代，人们心里不舒服，就给他们几片阿司匹林，说不定更管用。" 河鼠想起去咨询的建议当初可是他自己提出的，现在他倒打起退堂鼓了。

"可我们有本地心理咨询师的地址了，"鼹鼠说，"我们不是说好了吗，蛤蟆应该去见见他。我赞同獾的想法。"

"讲得好，鼹鼠，"獾答道，"鼠儿，你不必担心。如果蛤蟆连我的忠告都听不进去，他的健康状况一定是十分糟糕了。蛤蟆，我知道你有时很固执，可你看上去确实需要某种帮助。说起来让人吃惊，这种帮助是朋友们都没法给你的。紧急状况需要紧急办法，我们必须试试咨询！"

就这样，在朋友们的一连串电话联络、约定日期、施压恳求之后，蛤蟆来到了一个叫"苍鹭小筑"的大房子。这是一栋四四方方的三层建筑，红砖是柔和的陶瓦赤土色，夹杂着几抹斑驳的黄色。它散发着老建筑的历史气息，似乎存在很久了，看着朴素却实用，像是世代有人居住的样子。

按过门铃后，蛤蟆被带入了一间书盈四壁的房间。房间里有几把椅子，还有一张大书桌，上面摆放着零散物件，包括一颗陶瓷头颅，上面写满了文字，是关于福勒所创的颅相学[1]传说的。

苍鹭走进了房间，他个子很高，看上去富有智慧。他在蛤蟆对面的椅子上坐了下来，道过早安，接着便无声地看着蛤蟆。

蛤蟆早已习惯人们同他说话，正等着苍鹭开启一场冗长的训诫，可什么动静也没有。这一阵沉默让蛤蟆感到血液涌上头部，仿佛房间里的紧张气氛也瞬间加剧了。他开始感到相当不舒服。苍鹭依然看着他，终于，蛤蟆再也忍不住了。

他哀怨地问："你不打算告诉我该做什么吗？"

1　颅相学认为可以通过测量人的头颅来判断人格，不具备科学性，但曾对心理学发展起过积极作用。

"关于什么？"苍鹭答道。

"呃，告诉我怎么做才能觉得好受一些。"

"你感觉不好受？"

"是的，不好受。他们肯定把关于我的所有事情都跟你说了吧？"

"'他们'是谁？"苍鹭问。

"哦，你知道的，獾、河鼠他们几个。"说出这几个字时，蛤蟆哭了起来，不快的感受也更汹涌地释放出来。这不快，他竟不知不觉闷在心里很久了。苍鹭依然不语，只把一盒面巾纸推到了蛤蟆这里。良久，蛤蟆的抽泣渐渐平息，他深吸一口气，感觉好了一点儿。接着，苍鹭开口了。

"你能告诉我，为什么来这儿吗？"

蛤蟆说："我来这儿，是他们让我来的。他们从报纸上看到了你的名字，说我需要咨询。现在我准备好听你的。不管怎么做，只要你觉得是最好的，我都会照办。我知道他们都是为了我好。"

咨询师在椅子上挪了一下身体："那么，谁是我的来访者？是你，还是他们？"

蛤蟆不是很明白。

"你看，"咨询师说道，"你的朋友们想让我给你做咨询，以便减轻他们对你的担忧。你似乎也想得到帮助，为的是让他们高兴。所以依我看，你的那些朋友们才是我真正的来访者。"

蛤蟆听完一头雾水，困惑全写在脸上。

"也许我们可以澄清一下现在的情况。"咨询师说道，"这几次面谈，是由谁来支付费用？"

"我早该猜到的，"蛤蟆想，"他就和其他人一样，只关心怎么挣钱。"

"这个你无须担心，"蛤蟆说起这个，竟有几分像从前的自己了，"獾说了，钱的事他会处理好的。你会得到报酬的，完全不用顾虑。"

"谢谢你，但恐怕这样行不通。我建议今天会谈后就结束咨询，就当是一次体验。"咨询师说。

这么久以来，蛤蟆头一次感到愤怒。"听着，"他提高了嗓门，"你不能这么做。你说你是咨询师，我为了咨询来到这里。我坐在这儿等着你跟我说些什么，可你说的居然是我的钱还不管用。到底还要我再做什么才能行得通？"

"这是个非常好的问题，我来回答你。"咨询师回应道，"心理咨询向来是一个自发的过程，咨询师和来访者双方都得出于自愿。所以这就意味着，只有当你是为自己而不是为取悦朋友们才想咨询的时候，我们才能真正合作。如果我们约定要合作，就需要拟一个合同，咨询结束时，我会把收据寄给你。你看，这并不是钱的问题。为咨询负责的只能是你，而不是其他任何人。"

蛤蟆的脑子急速运转。虽然没完全理解这一番话的意味，但他意识到一件事：他得为自己的咨询担起责任来。可他又不是咨询师！

同时，咨询师用了"合作"一词，这意味着不管咨询中发生什么，蛤蟆都是主动的参与者。所有这些要求，和他原先打算坐等受教的态度相去甚远。这些想法困扰着他，也让他兴奋。或许，他真的能够靠自己摸索出摆脱痛苦的办法来。

仿佛过了一个世纪，蛤蟆终于开口了："刚才我的表现就像个混蛋一样，这样的事已经不是第一次发生了。不过，我开始明白你的意思了。我愿意跟你合作。我们的咨询能重新开始吗？"

"其实我认为咨询已经开始了。"咨询师回应道。接着，他详尽解释了共同开启一个咨询计划要做些什么。

"每周我们面谈一小时，整个咨询周期多长视情况而定。我建议咨询从下周开始，每周二上午十点。最后一次面谈将回顾我们在之前的咨询中做了哪些事，你学到了什么，你也可以考虑制订将来的计划。"

"咨询费用是多少？"务实的蛤蟆问。

"四十英镑一次面谈。"苍鹭答道，"每次面谈结束，我会给你一张这个数目的收据。"又停了许久后，他补充道："好了，你决定了吗？"

蛤蟆不常做三思后的决定。他要不就在冲昏头脑时做决定，以致追悔莫及，就好比以前他就有过一次，一眼相中别人的汽车，居然就不管不顾开走了。要不，他就照旁人说的去做，那个"旁人"通常是獾，结果就是让自己感到无比悲惨。他倒是挺愿意去问明智的河鼠，"鼠儿，你觉得我该怎么做？"因为这么一问，责任就从他的肩头卸下了。

然而苍鹭用一种特别的方式看着蛤蟆，好像他确定蛤蟆会做出明智的决定。蛤蟆终于说话了："我愿意与你合作，试着找找我感觉悲惨的原因，以及我能做什么来改善这一切。我带来了日志本，我们可以约定下一次咨询的具体日期了吗？"

当苍鹭咨询师把蛤蟆送到门口时，蛤蟆转身问他："你认为我会好起来吗？"

苍鹭站定了，直视他的眼睛说："蛤蟆先生，如果我不相信每个人都有能力变得更好，我就不会做这份工作了。我无法保证事情一定会变好，但我可以承诺的是，我会对你倾注我全身心的关注，我也希望你对咨询是全心投入的。假如我们都能像这样一同努力，就能预见积极的结果。但归根结底，这一切都取决于你。"

蛤蟆慢慢走出咨询室，竭力揣摩着这些话的意义。

第四章
抑郁的原因

随后的一周，蛤蟆觉得日子过得特别慢。他无精打采，总是很早就醒，脑袋里还常常出现悲哀、病态的念头。在悠长的白天里，他通常感觉好受些，可一到晚上，他就开始焦虑起来。他强迫自己每天都要去散步，可即使沐浴在冬日暖阳里，他所看到的一切也都像黑白照片一般，失去了往日的色彩。

起初，蛤蟆的好友们来看望他，尽可能让他高兴起来。河鼠和他玩了好几局纸牌。为了博蛤蟆一笑，鼹鼠给他讲最新出炉的河岸新闻，比如"你绝对想不到，水獭上周又惹出了什么事儿来"。老獾坐在一旁看着，等大家都沉默的时候，他就会打开话匣子，讲起冗长但还不算太乏味的故事——他年轻时与蛤蟆父亲一同经历的奇遇。比如他说："离家还有

好几英里 [1]，可我们身无分文啊，正在那时，我急中生智……"
在这些事结束后，蛤蟆便精疲力尽地上床休息，却在凌晨三点就早早醒来，辗转难眠，一直到清晨。

周二总算是到了，蛤蟆走在去往苍鹭咨询室的途中，心情可以说是五味杂陈。虽然他对苍鹭的感觉一言难尽，但终于可以见到咨询师了，这让他倍感宽慰。他又感到焦虑，想着这次咨询中可能会说些什么、做些什么。为了能独自前去咨询，他已经向朋友们争取了好久。可要说蛤蟆从第一次面谈中学到了什么，那一定是这个道理：必须完成的事情，唯有靠他自己才能完成。蛤蟆越来越清楚地认识到，他最好尽快"长大成人"。

这是蛤蟆第二次坐在咨询室里，与苍鹭面对面。沉默又一次出现了，和上次一样，蛤蟆感到压力在飙升，焦虑感倍增。终于，咨询师说话了。

"蛤蟆先生，今天你感觉怎么样？"

"挺好的，谢谢你。"蛤蟆回答。他很小的时候，大人就教他这样回答了，如今他也这样不假思索地回应，其实不代表任何真实的想法。然而咨询师对这样的寒暄毫无兴趣。

1　英里，英制长度单位。1英里约等于1.6千米。

"我再问一次，你现在真实的感觉是怎么样的？"

蛤蟆觉得非常不自在，他问："你说的'感觉'，到底是什么意思？"

蛤蟆并非故意表现得那么愚钝。和许多人一样，他从未有意识地用这样的方式来看待过自己的情绪，所以很难用语言来形容，更别提对别人说了。实际上，他已经下意识地运用了很多行为上的策略，成功地逃避了对自我的认识。他极其擅长迎来送往，比如他最出名的开场白便是由衷的一句："你们好啊，我的朋友们！"接着就是："你们绝对猜不到我最近在做什么！"又或是："来吧朋友，看看这个！"就这样，没有人问他"你好吗"，更没人问他"你感觉怎么样"。

因此"你感觉怎么样"对蛤蟆而言确实是种新颖的问话，尤其是当提问人似乎真的想知道答案时，更让蛤蟆坐立难安。他从没有对自我分析感兴趣过，所以还真不知道该怎样描述内心的状态。

"我换个方式问这个问题。"咨询师说，"假设我们有一种温度计，可以用来测量你现在的感受。温度计有 10 个刻度，最低为 1，代表你感觉非常糟糕，可能还有自杀的想法。中间是 5，代表你感觉还不算太糟。最高为 10，表示你非常愉悦。"咨询师身边有一块挂纸板，上面画有他说的"情绪温

25

度计"。他递给蛤蟆一支蜡笔，并问："你觉得自己处在1到10的哪个位置？"

蛤蟆毫不犹豫地在1和2中间做了记号。

"你有过自杀的念头吗？"咨询师的提问很直接，况且自杀是很震撼的话题，蛤蟆听都不敢听。但与此同时，这么一问却让蛤蟆有如释负重的感觉。

"是的，我有过。"他平静地答道，"大约三个月前，一切显得那么黯淡，我找不到出路，我想过自己可能会做傻事。不过这都是在鼹鼠来找我之前了。之后，虽然我还是抑郁，却再也没有那些糟糕的念头了。而且，"蛤蟆的语气振作了一点儿，"我现在肯定不会再有那种念头了。"

"那么，你现在感觉怎么样？"咨询师又一次问了同一个问题。

"我感觉自己好像没什么价值，我把自己的生活搞得一团糟。不像河鼠、鼹鼠他们，特别是獾，他们都受人尊敬，而我却像个笑话。虽然他们说我心肠是好的，也会逗人乐，还说我大方到离谱。'好心的蛤蟆老朋友'，他们这么称呼我。没错，可我这一辈子都干了些啥？我又干成过啥事儿呢？"说到这儿，蛤蟆突然哭了起来，一起一伏地颤抖着。

咨询师把纸巾盒推给了蛤蟆，过了一会儿又问："你一直都是这么觉得吗？"

"我想是的。在很长时间里，我时不时都会这么想。当然，确实有些时候一切似乎都好起来了，好像我可以真正去干点儿什么。可随后我的兴致就低落下来，没了做事情的劲头，接着就跌入了我所熟悉的悲伤情绪里头。我只会这么来形容，这也是我此刻的感受。"

"那么，这一次，你认为是什么让你感到不快乐？"咨询师问。

"说来话长。"蛤蟆回答。

"我在听。"咨询师说。

于是，蛤蟆打开了话匣子。

"之前，我从监狱里逃了出来，扮成洗衣妇一路逃亡。我被一个女人从驳船上扔进河里，我抢了她的马，卖了钱，最后又头脑发热地抢了别人的汽车。这些事儿，你肯定统统都知道了吧？这肯定不是我人生中值得自豪的时刻，我也不想否认我干过这些蠢事儿。可大家都在议论我，还有人拿我的故事出了本叫《柳林风声》的书，所以我再也不想提往事，除非你问我。"蛤蟆停顿了一下，试探性地看着苍鹭，见苍鹭没有回应，他便继续讲了下去。

"当然，这几件事对我产生了巨大的影响，我以为我能挺过去的，很多打击我都挺过去了。真正让我受伤的是我回家后，别人对待我的方式太可怕了。"

"你还记得什么具体的事情吗？"苍鹭问。

"我记得。我忍不住在脑子里一遍又一遍地重播那几件事儿，最后我都能列举每个细节了。"

"发生了什么？"苍鹭问。

"先得从这件事说起。"蛤蟆接着说，"我被一群混混和好事者追捕，好不容易机智脱险，可运气实在太差，我掉进河里差点儿淹死。幸好河鼠把我捞了出来，我永远也不会忘了他的救命之恩。"

"我不太明白，"苍鹭问，"为什么这会让你感到不快乐？"

"因为他对我的态度。"蛤蟆答道，"当然，我很想立刻告诉他我所经历的一切，还没等衣服干，就开始跟他讲我的历险。可他非但没兴趣听，还说我吹牛，指责我'寒碜、邋遢、丢人现眼'，非要我去换身衣服，'看能不能像个绅士的样子'。你想想，我们几个月没见了，可他居然用这种态度跟我说话！"

"所以在当时的情形下，你有怎样的感受？"

"一开始我很生气，毕竟我受够了在监狱里被人呼来喝去的日子。但我还是很感激河鼠的救命之恩呀，所以照他说的做了。我们吃了午饭——我饿坏了—— 我把我的历险记全都跟他说了。多有意思啊，要知道，这些事儿可比河鼠单调的生活带劲儿多了。"

"他是怎么回应你的？"

"你是想不到的，河鼠居然回答我说：'你没看见你都变成个十足的混蛋了吗？'这话真的刺痛了我，感觉自己被狠狠训了一顿。"回忆起这些伤心事，蛤蟆泪如泉涌。

"然后你做了什么？"

"还是我一贯的做法。大家对我生气时，我就会不自在，只要能让他们重新喜欢上我就行。所以我承认自己就是个十足的混蛋，还向河鼠保证会改正我的行为举止。"

"这么做起效了吗？"

"你说的'起效'指什么？"

"这么做让河鼠不再对你不满了吗？"

"我不确定，因为接着河鼠就告诉我一个很坏的消息：蛤蟆庄园被野树林的黄鼠狼给霸占了。这时候我是真的怒了。我平时不太会生气，可这回我气疯了。我想都没想，就冲过去要夺回我心爱的家，可野树林的黄鼠狼用武力对付我，我脑袋都差点儿中弹。他们还弄沉了我的船，等我回到河鼠那儿时已经浑身湿透、精疲力尽，整个人特别消沉。要知道我回到河岸不过才半天啊！这不公平，太不公平了！"蛤蟆想起这些不愉快的事情，又开始抽泣起来。

苍鹭静静地坐着，倾听并端详着蛤蟆，却并未说话。蛤蟆的抽泣渐渐变成了吸鼻子声，看上去十分苦恼，鼻子上还挂着几串鼻涕。苍鹭再次把纸巾盒推给他，而蛤蟆则像个孩子一样，顺从地抽出几张擤鼻子、擦眼泪。过了一会儿，苍鹭问："那么，这一次河鼠见到你后说了什么？"

蛤蟆竭力让自己的声音听上去平稳一些。"河鼠见到我后说了什么？你不会想到，他又一次对我发火了！他骂我'讨人嫌'，还说他完全想不通我是怎么留住朋友的。我承认，我能理解他对我有点儿气恼，毕竟沉掉的是他的船。可这并不是我的错啊，而且他也知道我一定会买一条新的船给他——后来我也是这么做的呀！"蛤蟆的语气十分哀怨。

"那么，你是如何回应河鼠的？"苍鹭问。

"我想，还是用同样的方式吧，也就是尽力安抚他。我记得自己在他面前苦苦哀求的样子，我说我真是个刚愎自用、任性胡闹的家伙，我保证从今往后一定会谦虚恭顺。现在回想起来，真的太难堪了，我当时怎么会这么对他说。可我就是什么都说得出口，只要能让别人不再对我生气、不再痛骂我就行。特别是河鼠，因为我把他当朋友。"

“那么，在这之后，你感觉好一点儿了吗？”

“唉，也就一分钟吧，我记得之后鼹鼠来了，只有他对我的历险感兴趣。可当我正要进入正题，讲一些真正好玩的细节时，来了个真正让我害怕的人。”

“那个人是谁？”

“獾。”

“为什么？”

蛤蟆立刻答道：“首先，獾长得又高又壮，一副气势汹汹的样子。每当他拿严厉的目光看着我，我就会想起我父亲，永远都在批评我的父亲。总之，不出我意料，獾把我从头到尾地责骂了一通。我现在还记得他说的每一句话：‘蛤蟆，你这讨人厌的坏东西，你不觉得害臊吗？想想你犯的事儿，你父亲要是活着会怎么说你！’他的指责让我特别难过，我一下子哭了出来，什么话也说不出来。”

那些不快乐的回忆让蛤蟆哽咽了，他努力把要夺眶而出的眼泪憋了回去。停了一会儿才继续讲下去：“獾接着说，过去的就过去了，既往不咎。于是大家开始制订计划，准备在当天晚上夺回蛤蟆庄园。獾摆出一副领头人的样子，虽然要拯救的是我的家。我并不介意，毕竟，虽然獾也犯错，可他看上去就是个天生的领袖。可他好像总是想方设法来羞辱我。”

"他是怎么做的？"苍鹭问。

"他告诉我们有一条通向蛤蟆庄园的秘密通道，这事儿我一点儿都不知情，可獾说是我父亲告诉他的。问题是，他说我父亲是'一位值得尊敬的有价值的绅士，比某些我能想到的人有用得多'，说这话时他就盯着我看，让我感觉非常难受。"蛤蟆再次哽咽了，咽了下口水，吸着鼻子，十分艰难地把心里快翻腾起来的情绪压了下去。终于，他又能继续说话了。

"可好像那样还不足以羞辱我，獾接着说，我父亲让他不要告诉我，因为——我现在还清楚记得他说的话——'他是个好孩子，可生性轻浮善变！'在场的人都看着我，我只好摆出一脸无畏的样子，胡说了一堆话来掩饰我的尴尬，可其实我内心觉得被狠狠羞辱了。"蛤蟆停了下来，回想着那些不快乐的往事。

过了一会儿，苍鹭问："还有别的事情吗？"

"有，"蛤蟆回答，"可我不想再说下去了，这让我太难受了。总之，你能明白我为什么感到这么悲惨了吧。每个人都对我那么不友好，可这并不是我的错。"

良久的沉寂。其间，蛤蟆和咨询师都沉默不语。接着苍鹭开口了，他说："现在我们或许可以停一下，想一想我们能从这些事情中学到些什么。"

"你介意我现在稍微走动一下吗？"蛤蟆问，"我的背有点儿疼。"

苍鹭看上去很严肃："你要不要为自己做决定，我说了不算。蛤蟆，你自己想要做什么？"

"我想起来走动一下，"蛤蟆打起了点儿精神，压低嗓子又说，"该死，我真要起来走走！"

"现在，"苍鹭说，"听完了你的故事，我有个问题要问你。"

"什么问题？"蛤蟆坐回了座位上。

"在这些事件发生的时候，你处在什么状态下？"

"我听不懂你说什么，"蛤蟆说，"你说的'状态'指什么？"

"我是指，"苍鹭回答，"你会用什么词来形容这些事情发生时自己的感受和行为？"

"好吧，我告诉过你。我感到非常不快乐，很悲惨、很内疚，还感觉备受责难。"

"那么，让我再问你一遍，"苍鹭回应道，"你当时处在什么状态下？"

蛤蟆一动不动，陷入了深思。他并不习惯沉浸在专注的思考中，但在咨询师一再的询问之下，他还是在脑海里一一回顾了那些不快的情形，思索着能从每件事情中学到什么普遍的道理。

"我猜，"蛤蟆缓缓地说，"你可以说我当时的感受就和小时候一样。我感觉自己像个孩子？你觉得是这样吗？"

"更重要的是你怎么觉得，蛤蟆。你自己觉得是这样吗？"

"是的。当然，是这样的。"蛤蟆的语气听上去比之前更确定了，"这就是我当时的感受。小时候，我被父亲狠狠责骂后，也是这样的感受。"

"那么，我们就把它称为'儿童自我状态[1]'吧。"苍鹭说道。

蛤蟆看上去很困惑。

"其实很简单，"苍鹭说道，"你应该记得学生时代学过，'自我'来自拉丁文，代表'我'这个词。而当我们问'他处于什么状态'时，我们其实是在问'他存在的模式是什么'。所以当我说一个人处在'儿童自我状态'时，我是指他的行为和感受都像一个孩子。这不同于'幼稚'，而是'像孩子一样'。"

"我想我明白了，"蛤蟆说，"可处在'儿童自我状态'是件坏事吗？"

1　原文为"Child Ego State"。（本书中的注释均为译者注。）

"没有好坏，"苍鹭答道，"只是用来描述一个人实际的状态。也许更好的一个问题是：'处于儿童自我状态会有什么样的效果？'"

"好吧，"蛤蟆说，"我认为这个问题对我没什么帮助，因为一个人显然没办法控制自己进入哪种状态，所以有没有效果都无所谓了。这显然取决于你是什么样的人，而这是你没法控制的。"

"是这样吗？"苍鹭问道，"你现在处于'儿童自我状态'吗？"

"不，当然不是。现在我在跟你谈话。"

"所以是为什么呢？"

"噢，我不知道为什么，"蛤蟆带着怒气说，"我希望你别再找我的茬儿了，这不公平。你问了我那么多问题，我的脑袋都疼了。我又不是心理学家。"

"既然这样，我们最好先停在这里。"苍鹭说。就这样，他们结束了面谈。

第五章
成长的寓言

过了一周，蛤蟆又与咨询师见面了，还是坐在老位子。他很诧异自己那么快就习惯了咨询的常规，连这把椅子都被他视作"自己的"椅子。有时他会想，不知别人是否坐过这个座位，还是这间咨询室每周只因为他才使用一次。

　　但在咨询过程中最打动蛤蟆的一点是，他能得到苍鹭全身心的关注。蛤蟆发现，这辈子还从来没有人对他全神贯注过。至于他有没有这样对待过别人，也得打个问号。

　　苍鹭全程专心地听蛤蟆说话，就好像整整一个小时里，他完全聚焦在蛤蟆身上，只专注于蛤蟆的情况，其余一概不关心。所以蛤蟆发现自己不用老说"你明白我说的吗？"或是"我说清楚了吗"，这些习惯用语，是他为自己表达不清的胡扯道歉用的。

只要蛤蟆找到了词汇来形容自己的所思所想，苍鹭就会倾听并理解他。苍鹭没能理解时会如实相告，蛤蟆就必须搜寻其他的词句来更准确地表达自己的意思。

　　不知怎的，苍鹭倾听并不断向蛤蟆发问的方式，使得蛤蟆觉察到了自己的种种想法和感受。渐渐地，他开始在很多方面探索和审视自己，以前他根本想不到要这样做。换句话说，蛤蟆开启了学习模式。

　　"那么，蛤蟆，你感觉怎么样？"这个问题不再让蛤蟆惊讶，实际上，他对这个问题已有了心理准备。

　　"我感觉不一样了，"他答道，"虽然还是情绪低落，但我发现自己一直在思考我们上一次面谈时你提到的'儿童自我状态'。今天我们会继续谈这个吗？"

　　"是的，"苍鹭说，"我很愿意和你一起探讨，不过这意味着我必须换个角色。"

　　"换角色是什么意思？"蛤蟆问。

　　"意思是，我的行为方式会有变化。如果我要告诉你什么是'儿童自我状态'，就得切换到老师的角色去。老师不同于咨询师的一个地方就是，老师用讲解模式，而咨询师用倾听模式。如果我能成功教会你理解'儿童自我状态'，你就能用这些概念来探索自我和你个人的经验了。记住，能实践的理论才是好的理论！"

蛤蟆还在努力理解这番话时，苍鹭站了起来，走到挂纸板前。

他开始了讲授。"'儿童自我状态'是由我们童年残留的遗迹搭建而成，包含我们小时候体验过的所有情感。你一定知道在刚出生时，我们只具备几种最基本的情感。幼年时，这些基本情感逐渐发展演变成更微妙、更复杂的行为模式，这些行为模式成为自我的核心，融为我们自身的一部分，定义了我们一生的行为。正因为这样，某些特定的情形和场景会激发我们的基本行为模式，让我们自动做出反应，所以我们会和小时候一样去行动和感受。具体的情形和场景因人而异。"

"请你再进一步解释一下好吗？"蛤蟆问。

"当然可以。"苍鹭回答，"我的意思是，我们的某些基本情感是与生俱来的，就好像红黄蓝三原色，对所有婴儿来说都是类似的。然而当我们作为个体开始发展的时候，我们的情绪和反应都变得越来越个人化，就好像几种原色混合在一起就变出各式各样微妙的色调和色差来。这么说能理解吗？"

"能，"蛤蟆说，"我能理解。"

"很好。"苍鹭问道，"你觉得这些基本的情感是什么？"

蛤蟆皱着眉挠着头，却答不上来。

"这么来看吧。"苍鹭说，"我知道你未婚，但你有侄子侄女吗？"

"有，当然有，"蛤蟆说道，"我一直都记得他们的生日，我还喜欢在圣诞节带礼物去看他们。我想他们应该是很喜欢我的。"

"好，"苍鹭回应道，"那么你会怎样来定义他们的基本情感？"

"呃，他们通常到处乱跑，玩得很开心。真不知道他们旺盛的精力是从哪来的！当我带着一堆礼物过去时，他们会扑过来给我最热烈的亲吻和拥抱，真的，我非常讨他们喜欢。"蛤蟆接着说，"可别以为是因为送礼物他们才这样，我什么时候去都一样受欢迎。他们就是这么充满热情。"

"我想他们一定是的。"苍鹭说，"我们把这个写上去。"于是他走到挂纸板前，写上了标题"儿童的基本情感"，在标题下边，写了"快乐和深情"。

"还有别的吗？"苍鹭问。

"他们当然也会闹脾气。有一次他们打架打得太凶了，我甚至得上去把他们拉开。孩子有时候真是小恶魔。"

"所以这是另一种基本情感。"苍鹭说着，就在挂纸板上写上了"愤怒"。

"哦，是的，我完全同意。"

"你还能想到别的吗？"苍鹭问。

"我有点儿卡壳了。"蛤蟆停了停，回答说。

"试试用另一种方式来思考，"苍鹭说，"我们生下来就有的基本情感有哪些？与生俱来，不用后天学习就有的。"

"我不确定这是不是你想要的答案，我的小侄子和小侄女很容易感到不安和悲伤。我记得上一次去时，他们正在哭，泪流满面，因为小狗死了。我想尽办法安慰他们，可也不管用，最后连我自己都哭了。你知道，我真是心肠太软了。"说到这儿，蛤蟆擤了一下鼻子，拨了拨领结，眼里泛着泪花。

"这听上去就很像一种基本情感，"苍鹭说着，又在列表上加上了"悲伤"一词，"还有别的吗？"

蛤蟆摇了摇头："我想不出来了。"

"恐惧呢？"苍鹭问道，"在我的经验里，孩子们很容易感到害怕，你很容易吓唬一个孩子。难以置信的是，有些成年人很喜欢那样干，不过这是另一回事儿了。总之，你同意恐惧是一种基本情感吗？"

"很有道理，"蛤蟆答道，"我还记得在我很小的时候，从人生第一个噩梦里尖叫着醒过来。没人教过，可我就会这么做。这是与生俱来的。"

"好，这样的话我们就完成了列表。"他在纸板上写下了"恐惧"。所以最后挂纸板上是这么写的：

儿童的基本情感

快乐和深情

愤怒

悲伤

恐惧

"所有这些情感加在一起，就构成了所谓'自然型儿童'，而这是整个'儿童自我状态'的重要组成部分。"苍鹭解释说。

"那么，"蛤蟆说，"如果我看到有人非常深情，或者发怒、悲伤和害怕，我就能说这人正处在'自然型儿童'的状态里。是这样吗？"

"正是如此。不过愤怒更复杂，我们会在之后进一步了解这种情感。"

"不论人们的年纪多大，都可能处在'儿童自我状态'吗？"

"确实如此。人们进入'儿童自我状态'后，他们的感受和行为都和小时候的自己如出一辙，与实际年龄并没有关系。"

蛤蟆陷入了沉思，在许久的沉默之后，他终于说话了："我觉得我经常处在'儿童自我状态'里。"说完，又陷入了沉默。

"但是到这里我们只说了一半。"

"什么意思？"蛤蟆问，"关于'儿童自我状态'，还有别的要说吗？"

"当然，还有很多要说的。如我们所见，一个孩子的自然行为混合了上述几种基本情感。"苍鹭指向挂纸板上的列表。

"比方说，婴儿为了获得食物和关注会尖叫，尽可能多地吮吸乳汁，吃饱后就心满意足地睡觉了。从出生第一天开始，这些天生的情感就开始运作了。随着这个孩子的身体逐渐强壮，他的情感世界也丰富起来，能量也更加充沛。

"但在这个过程中也有其他的因素参与进来，最重要的因素就是父母，他们从一开始就对这个孩子的意识产生影响。婴儿做的几乎所有事情都会引发母亲或父亲的某些反应，这些反应对孩子具有深远的影响。

"面对哭闹的婴儿，母亲通常的反应是给予爱和安抚。但也有父母会做出缺乏爱心的举动。母亲可能累了，甚至病了，就会表现得很严厉。又或者，父亲的育儿观念可能非常严苛，就会故意无视婴儿的哭闹，怕'宠坏'了他。"

"这让人想到孩子是多么容易受伤啊，"蛤蟆若有所思地说道，"我之前从没意识到父母其实拥有巨大的权力，可以对子女拥有绝对的控制权。他们可以爱孩子也可以抛弃孩子，可以宠爱孩子也可以虐待孩子。你能拥有怎样的父母，就像买彩票一样，得看走不走运。"

蛤蟆安静地坐着，陷入了对童年的回忆，想尽力记起童年时自己的感受。过了一会儿，苍鹭开口了。

"你说得很对，蛤蟆。大多数的父母会尽最大的努力来养育孩子，很少有父母要故意伤害自己的孩子。可是，父母也是人，会不可避免地把他们的观念和行为传递给后代，正如他们一定会把自己的基因传给下一代一样。所以孩子们要学会的是，如何应对和防御因此而产生的后果。"

"可他们该怎么学会应对呢？"蛤蟆问，兴致高涨起来，看得出来他在认真琢磨。"婴儿和小孩子不会用逻辑思考，他们没法坐定下来计划怎样应对父母的行为。"蛤蟆的语气很强烈，好像他探讨的不是儿童心理学里一个艰深的话题，而是从非常私人的层面讲他自己的事儿。事实上也正是这样。

"嗯，当然了，婴幼儿确实不能用逻辑或有意识地去想明白这些问题，"苍鹭说，"但他们会从经验中学习。这样的学习不仅涉及用头脑思考，也涉及全部的自我。我们学到的是一种生存的策略，并发展出一套行为来应对父母和其他人。幸运的话，我们就能用余下足够的精力来享受生活。

"这意味着每一个婴儿都必须学习如何调整他的基本行为，来应对自己所处的初始状况。这些调整，就像原子核一样，以后我们所有的行为都围绕着这个核心形成和发展。当然，人生后面阶段的许多其他事件也会对我们造成影响，但这些最早期的经历塑造了人格的雏形，所以我们无法否认也无法忘记它们。"

"你可以说慢一点儿吗？"蛤蟆请求道，"每次我觉得理解了一点儿的时候，你又继续讲别的东西了。"

"很抱歉，"苍鹭微笑了，"我知道关于这个话题我会说得有点儿多，但我认为这很重要。蛤蟆，理解你的童年就是理解你自己的关键线索，这贯穿我们咨询的全过程。弗洛伊德曾说：'本我所在，自我相依。'这个我会在以后做解释。好了蛤蟆，你没有理解的部分具体是什么？"

"你说我们在婴儿期就开始学习应对生活，我们得对自己天生的行为做出调整。这个具体是什么意思？"

"你的问题非常好。我用一个小故事来回答你。这是个

45

科幻故事，所以你可以天马行空地想象。

"想象在一个很小的星球上只住着三个人：你和其他两个人。那两个人的身高比你高一倍还多，所有的事情你都得完完全全依赖他们，不光是吃喝，你的情感需求都得靠他们来满足。他们通常都对你很好，你也用爱来回应他们。但有些时候，他们会对你生气，这让你感到害怕和不快。他们是那么的高大有力，所以你感到很无助。你怎么看这个故事？"

"我不太喜欢这个故事。如果那个人是我，我会造一艘宇宙飞船，以最快的速度逃离那两个家伙。"

"不幸的是，你没法逃离。所以你只能忍受这个状况，同时学习如何尽你所能地去应对。"

蛤蟆已经明白了故事的内涵："那也就是说，我得学着调整自己的行为来适应这个特定的情形。"

"很好，"苍鹭回应道，"你现在真的在学习了。正如你所理解的那样，刚才的故事是一则关于婴幼儿时期的寓言。从呱呱落地起，我们的生命里只有两个人陪伴，有时候甚至只有一个人。和我们相比，他们是那么的强大，而我们则全然依靠着他们。因为无处可逃，我们唯一能做的就是去适应他们每一次的喜怒无常。我来画一个图形进一步解释。"

他走到挂纸板跟前画了一个圆，在上方写上"儿童自我状态"这几个词。接着他画了一条横线，把圆分成了两半。在圆的上半部，他写上"自然型儿童"，而在圆的下半部则写上"适应型儿童"。看上去是这样的：

儿童自我状态

　　"好了，蛤蟆，今天的面谈就到这里。这一次我们谈了很多，也一定给了你很多值得思考的东西。所以我要给你一些作业，为下一次面谈做准备。"

　　"噢，不！"蛤蟆回答，他看上去十分焦虑，"别留作业！我一向讨厌预习。这个礼拜我可能没法做任何作业。实际上我刚想起来我还有很多活儿要干，我可能还得去趟镇上。还有别的一大堆事儿。"他怯怯地加了最后那句。随之而来的是两人良久的沉默。

"我有点儿好奇，你会怎么分析刚才你对我说的这些话？"苍鹭问。

"呃，我只是告诉你我为什么没法做作业。"蛤蟆显得很不自在，也无法直视苍鹭的眼睛。

"是的，可你觉得你的那番话会给我什么感觉？"

蛤蟆换了个坐姿，说："我真的不知道。我只不过告诉你我没法做作业的理由。"

"这些是理由吗？"苍鹭问。

停了好一会儿，蛤蟆说话了："也许你觉得听上去像是借口？"

"你觉得呢？"苍鹭问。

"我能理解你这么想，"蛤蟆答道，"可'作业'这个词让我感觉很糟糕。我还记得很清楚，上学的时候，我在晚上努力学习拉丁文或是背诗歌时的感受。还有恐惧，我很害怕第二天早上答错了会挨罚。"

"所以当我说要给你布置作业时，你处于什么状态？"苍鹭问。

"儿童，"蛤蟆迅速回答，"过去所有的恐惧和焦虑全都涌上心头。苍鹭先生，是不是我有什么问题，才会有那样的表现？"

"不，当然不是。"苍鹭温和地说道，"我们都会因为某些词或某些场景而触发童年的感受。我猜大家最有共鸣的触发词就是'牙医'吧。"

"噢，不，别提牙医！"蛤蟆抓紧他的下颚，故意做出痛苦的表情。

"所以我就不用'作业'这个令人害怕的词了，我会请你在我们下次面谈前做一些事情。"

"什么样的事情？"蛤蟆问道，还有一丝戒备。

"回想一下你的童年，想想那些过往还有最初的记忆，然后我们再看能不能在咨询中一起悟出些什么来。再会，蛤蟆。我期待下周再见到你。"

第六章
探索童年

上一次咨询结束后，蛤蟆一直有种奇怪和不安的感觉。他拾起了遗忘许久的童年往事，记忆犹新的事件更是反复在脑海中上演，而父母和祖父母的样子也从未模糊。他在阁楼找到了一本老相册，里面全是泛黄的家庭老照片。蛤蟆感到一阵巨大的悲伤涌来，不是因为照片里的人都已去世，而是因为他极少是照片里的主角。

蛤蟆记得严苛的父亲，他总觉得自己没能达到父亲的高要求，而且永远也达不到。他记得家里来来往往的成功人士，在蛤蟆眼里，似乎都是各行各业成就非凡的能人。他的祖父创立了家族酿酒企业，父亲在成为一家之长后接管了过来。蛤蟆记得小时候被带去酿酒厂，轰鸣声、蒸汽和异味让年幼的他受到了惊吓，他那时就知道将来也得在这个鬼地方工作，也是在那时他就明白自己绝不要这样。

蛤蟆记得安静的母亲，她对丈夫唯命是从，正如婚前听命于她父亲一样。她父亲曾是一名杰出的牧师，最终升为副主教。从那以后，人们便尊称他为"主教大人"，就连他的女儿也这么叫他。蛤蟆印象中的外祖父个子很高，气宇轩昂，胸前挂着十字架，在下午茶准备好时总用惊喜的语气说道："啊，小蛋糕来了！"

蛤蟆记得小时候母亲也曾和自己嬉笑逗闹，可他觉察到母亲是那么在意丈夫的评价，总在看脸色，生怕丈夫不满意。她为了避免惹丈夫不快，便遵循他严格的育儿观，常常对蛤蟆刻意收起慈母的一面。在蛤蟆的记忆里，母亲拥抱他的次数少得可怜。

随着下一次咨询时间的临近，蛤蟆感到从未有过的复杂情绪。主要的情绪是悲伤和抑郁，因为他想起了孤独的童年，其中并没有多少爱或快乐的回忆。即便如此，他还能记起另外一些人，像龙套角色一样在他的人生剧本里一闪而过，他们不经意的举止和唤起的情绪，让他目睹了大千世界里的各种"异类"。

这样的情况通常发生在圣诞节。小时候，每到这时，形形色色的人会捧着礼物来蛤蟆家致以一年一度的敬意，希望能换来酒窖里的陈酿。他记得有一个年老的姨妈戴着一顶大黑帽，用硕大的女士帽针别住，蛤蟆猜这帽针一定牢牢卡进她脑袋里了。还有一个乐呵呵的怪人，会变戏法，有一次他俩单独在一块儿时，他居然用屁点火，让蛤蟆吃惊不已。还有个老大叔，脖子上挂着的金表链在大肚腩前晃来晃去，他给了蛤蟆一个金币，还用非常惊悚的方式在蛤蟆的腿上捏了一把。

这些记忆擅自闯入了蛤蟆的脑海里，而在这些记忆底下，一股愤怒正在累积，强烈却无力。无力是因为他不确定他在对谁愤怒，或者对什么事情愤怒。

于是就造成了这个结果：他开始为自己的愤怒感到内疚！因为在内心深处，他知道自己对父母是极度愤怒的，这一点可能他连苍鹭都不会告诉。然而这种愤怒给他带来了很难化解的问题。小的时候，父母想必为他付出了最大的努力，而今他住的漂亮庄园也是从父母那儿继承来的。之后父母还确保蛤蟆的生活费绰绰有余。更让他为难的是，父母都已去世好一段时间了！他们活着时蛤蟆都自觉很难生他们的气，何况现在他们都已不在人世，就更难了！可他内心的愤怒情绪却不肯消退。所以当蛤蟆摁响咨询室门铃，坐到熟悉的椅子上时，他的情绪非常激动。

"早上好，蛤蟆，这一周过得怎么样？"苍鹭说。

"我不太确定，"蛤蟆平静地回答，"我怕我又开始感到抑郁了，我很担心，之前还以为自己好起来了。"

"你认为是什么让你有这种感觉？"苍鹭问。

"我认为是因为我做了你布置的'作业'。我发现童年回忆的某些部分让我非常痛苦，这就是为什么我现在觉得很悲伤。"蛤蟆有段时间没掉眼泪了，这一回又哭了起来。

苍鹭把纸巾盒推了过去，蛤蟆抽出一张来擦了擦眼睛，又抽出另一张用力擤了擤鼻涕。

停顿一会儿后，苍鹭问他是否觉得好些了。

"是的，真没想到。"

"你看，悲伤的原因是真实可见的：你想起了不快乐的时光，你自然会有悲伤和不快乐的情绪，所以你哭了。你能接受这个解释吗？"

"应该可以，"蛤蟆哧哧地吸着鼻子说，"可我不喜欢像刚才那样号啕大哭。"

"你肯定不喜欢，可如果你要更好地理解自己，就需要跟自己的情绪做联结，并理解这些情绪。如果你否认它们，不论是用无视还是压抑的方式，结果都像是做了截肢，就如身体的重要部位被切掉了一样，你在某种程度上成了一个残缺的人。"

"所以哭也没关系吗？"蛤蟆问，"我记得父亲完全不允许我哭。我一哭，他就会说：'马上停下来，不然我就要对你发怒了！'所以我当然就停了下来。"

"你现在可以选择，"苍鹭非常严肃地说，"你是要听从你已经死了的父亲的声音，还是要允许自己做主？"

"这话好像有点儿太重了。"蛤蟆看上去非常不安，"毕竟，我只是想知道该哭还是不该哭而已。你不觉得讨论'我已经死去的父亲的声音'有点儿小题大做吗？"

"也许是的，"苍鹭回答，"但我们现在讨论的就是'小题大做'的事件。一个简单的提问，便能引发许多其他重要的问题，这些问题对你的学习和领悟作用很大，也因此会对你的整个人生有深远的影响。"

到了这里，蛤蟆已经相当专注了。他的泪痕干了，正竖起耳朵仔细地听着。"请接着往下说，苍鹭，"他说，"我在听。"

"好，这样的话，我就得重新切换到老师的角色中去，以便为你提供更多的见解。你还记得我们关于'儿童自我状态'的讨论吗？它包括了'自然型儿童'和'适应型儿童'。"苍鹭问。

"我当然记得。那次讨论对我有很大的作用，我希望今天能再接着探讨。我准备好了。"

"我相信你准备好了，我们现在开始。蛤蟆，你的童年里谁对你影响最大？"

"这很容易回答，当然是我母亲和父亲。间接的还有祖父祖母。"

"我们先谈谈你的父母。你的父亲是怎样的一个人？"

蛤蟆毫不犹豫地回答："严厉而正直。他总是为这为那训斥我。他会用非常不满的眼神看着我并叫我的大名说：'西奥菲勒斯，要我跟你说多少遍？不准这么做！'他总是在批评我、责备我，慢慢地我也会认为，他永远都是对的，而我永远是错的。似乎这么想的话，他对我的训斥就都变得合理了。"

"他打过你吗？"苍鹭问。

"噢，不需要，只要一个眼神就足够了！接着他就不再对我慈眉善目，其实他一直都不是个慈爱的父亲。他最严厉的惩罚就是用冰冷的声音说：'回你的房间去。没想好怎么道歉，不准下楼！'

"我记得他陪我玩过几回，可结局全都很糟糕。也许是我太渴望得到他的爱了，就会犯傻，做一些傻里傻气的举动。有一次，他把我从他膝上推了下去，还对我母亲说：
'我受不了他这副样子！'接着便走出了房间。而我只能放
声大哭。"

蛤蟆停住了，双眼泛着泪花。

苍鹭问："那么，你母亲是怎样的人？"

"她很大程度上受制于我的父亲，但我总觉得跟她比跟
父亲要亲近。偶尔她会拥抱我一下，但不常有。父亲对我发
脾气，我会去告诉母亲，可她会说：'亲爱的，别犯傻，我
肯定他不是故意这样对你的。'

"因为她只有我这一个孩子，可能她习惯了把我当个小
宝宝一样对待。每次开运动会，她来学校看我时，都会让我
非常难堪，她总在其他男生面前叫我'小西奥'，还要给我
梳头发。"

"你长大以后情况有没有变好一些？"苍鹭问。

"噢，不，一点儿都没有。比如我上大学时，邀请了一
些朋友来我家住，父亲总能找到些什么来指责我，而母亲则
是不断地让我难堪。她有一次当着我朋友的面问我有没有穿
干净的内衣！现在我觉得好笑，可我向你保证，那个时候真
是一点儿都不好笑。

"我再来讲一个你可能感兴趣的故事。在母亲过世前不

久，我鼓足勇气对她说：'妈妈，你什么时候才能不再把我当成小孩子？'你猜她怎么说的？"

"我大概猜到了，"苍鹭说，"不过你说吧。"

"她说：'等你不再像个小孩子的时候！'这问题看来无解了，我转身就走出了房间。"

在片刻的安静后，苍鹭开口说道："你一定对此感到非常愤怒吧。"

"噢，不，我从来不愤怒。我不是会发怒的人。"蛤蟆惨笑了一下。

"那你是怎么处理愤怒情绪的呢？"苍鹭问。

蛤蟆坐直了身子，重重地咽了下口水："呃，嗯，你说的愤怒到底指什么？"

"得了，蛤蟆，"苍鹭不耐烦地说，"你知道愤怒是什么。你是怎么应对它的？你上一次感到愤怒是什么时候？"

蛤蟆感到困惑了。首先，他之前并没有在想愤怒的事。其次，他发现在任何时候都很难承认自己感到愤怒。他总觉得如果别人知道他生气了，他就会受到惩罚。结果就是他吞下了怒火，却化成了内疚。可苍鹭为什么突然讨论起这个话题来呢？提到愤怒，蛤蟆就感到非常焦虑，想要转移话题，可苍鹭偏偏注视着他，等着他回答。蛤蟆别无选择，只能硬着头皮聊下去。

"说实话，我不确定我上次感到愤怒是什么时候。现在想起来，如果有，次数也屈指可数。感觉没必要那样，那不是我的行事风格。"他摆出了一个抚慰性的微笑。

"好吧，"苍鹭说，"我想你会发现，真的去思考一下这个问题对你会有帮助。毕竟你也同意，愤怒是我们与生俱来的基本情感之一。这么想吧，蛤蟆，小时候在你生气时，都发生了什么事情？"

蛤蟆思考着这个问题，脑海中出现了他的父亲，高大威严、令人生畏。父亲身后的阴影里，似乎站着他的祖父和外祖父，他们品性诚实、言行端正，他们的面貌就是最高道德标准的化身。蛤蟆感到他们的影响已经主宰了他的人生，正如他们的肖像画挂满了蛤蟆庄园的图书馆一样。

"我觉得，当我回想早年的日子，我想起的是我父母的愤怒，而不是我自己的。总有人对我指手画脚。父亲经常在我表现不好时冲我发怒。"

"所以父母若是严厉挑剔，这个孩子就必须学习如何应对他们，他会将自然行为调整为最能适应现状的行为。所以这个孩子最有可能做什么？"

"这是说我们又回到'适应型儿童'的话题上来了吗？"

"完全正确。你要记住，就像是画家调色板上的红黄蓝三原色一样，每一个'自然型儿童'都具备基本情感。但随后我们必须学习调整自然行为来适应特殊情形。我们会将三原色的色调调暗，使它们看上去柔和，以利于生存，同时也借此保护我们个体的完整性。这就意味着我们得学会处理愤怒，包括父母的愤怒，还有我们自己的。"苍鹭停顿了一下，又问，"你怎么看，蛤蟆？"

"真是难以想象。"蛤蟆若有所思地回答，"我在思考你说的基本情感和三原色，想象要怎样画一幅画来描绘一个正在发展情感和情绪的孩子与他父母之间的纠葛。父母是那么固执地认定是非对错，又远比孩子强大得多。孩子们是怎么在这场战斗中活下来的？"

"你觉得成长必定永远是场战斗？"苍鹭问。

"可能对我来说是这样的。"蛤蟆回答，"我想童年的我一定承受了巨大的压力，因为那时我还那么年幼，却要对付那么严苛的父母。"他停住了，房间里一片沉寂，只有角落里的老爷钟在嘀嗒地走着。

过了一会儿，蛤蟆小声说："我想知道，我是怎么学会应对那一切的？"

"要找到答案，"苍鹭说，"我们要用头脑和逻辑思考。我来问你个问题：倘若一个人被比自己强大许多倍还无法逃离的人欺凌和伤害，他可能会做出怎样的反应？"

蛤蟆想了一会儿说："如果这个人确实没有力量，就必须学习顺从压迫者。不然可能无法生活下去。"

"正是这样。所以在你还是个孩子时，是不是也一样得学习如何顺从你父母严苛的要求和心愿？"

半晌后，蛤蟆表示认同这个解释。

"那么，那时的你会做什么？"苍鹭问。

蛤蟆对此思考了一会儿。他的内心因为回忆起久远的往事而感到悲哀与不快，可虽然久远，那些记忆和感受在他的意识里却如此鲜活，仿佛就在眼前。然而他身体里的另一部分却感觉受挑战而保持着警醒，所以能客观而不受影响地思考这些事情。

"我猜，如果你被迫顺从某个人，就意味着你不与他争辩。你照他说的去做，而且同意他的想法。"蛤蟆缓缓地说。

"很好，我要把这个写下来，因为我认为你正在觉察某些非常重要的东西。"苍鹭走到挂纸板前写了标题"顺从行为"，在标题下写上"同意"。

"还有吗？"他问。

蛤蟆沉思了一会儿说："除了顺从我父母的意愿之外，

我还总是想要取悦他们。我不确定自己有没有成功过，但我记得很清楚，我想让他们对我满意，为我骄傲。"他又停下思索了一会儿，接着说："也许这就是我变得爱炫耀的原因。他们对我的所作所为从没有满意过或被打动过，所以我就放任自己用浮夸和愚蠢的行为来博得他们的关注。会是这样吗，苍鹭？"

苍鹭紧紧注视着蛤蟆，他意识到，此时此刻，蛤蟆的声音和样子与说出的话完全吻合。蛤蟆看上去、听上去都那么悲伤，连他的情绪也明显像个极度悲伤的孩子。这种悲伤深深感染了苍鹭，他静静坐着，尽力走进蛤蟆的回忆，去体验蛤蟆的悲伤——这是一个人对另一个人最大程度的感同身受，这便是所谓的"共情"。蛤蟆也感觉到了，这无声的支持和理解带给他直击灵魂的力量。

过了一会儿，苍鹭说："我想很可能你说的是对的，蛤蟆。"然后，他沉默下来，陪伴着蛤蟆在深切的孤独感中静静地坐着。

又过了一会儿，苍鹭判断时间该差不多了，便说："好了，现在我们要继续推进了。之前你说你总想取悦父母，我要把这一条加入顺从行为里去吗？"

"噢，要的，"蛤蟆的声音比之前有力了，"你还可以加上另一条：'道歉'。我知道我现在是这么做的，小时候也是这么做的。几乎在我做任何事前，我都会为了安抚父亲而先道歉。"

"由你来把这一条写上去怎么样？"苍鹭问。

蛤蟆第一次接过蜡笔，在挂纸板上写下了"道歉"一词，接着便转身对苍鹭说："你知道吗？我开始意识到这个列表描述的不仅是我的过去，也是我的现在。我在过去学会的事情，和我现在的行为出奇的相似。不知道我该不该觉得惊讶。"

"我想，真正让人惊讶的是我们成年后有多少行为是从童年学来的。你只要想一想，就会发现这其实非常明显。童年体验到的最强烈的情绪，不可避免地变成我们成年后经常有的感受。有诗人曾说'孩子是成年人的父亲'，或许就是这个意思。"苍鹭又说，"另外，我想在列表里再加一条，如果你同意的话。"

"是什么？"蛤蟆问。

"依赖。"苍鹭回答。

蛤蟆愣了一下，说："你确定吗？我是说，所有孩子不都是依赖着父母吗？在你弱小而无助时，这难道不是很自然的行为吗？"

"是的，"苍鹭答道，"可对大多数人而言，成长的本质就是要减少并最终打破这样的依赖关系，这样才能成为一个独立自主的人。很少有人能完全达成这点，有些人能部分达成，而很多人则会依赖一辈子。"

"那这跟顺从行为有什么关系？"蛤蟆略带谨慎地问。

"我的意思是，顺从行为可能导致有些人学会了把依赖当成生活方式。换句话说，这些人永远都没有真正长大成人。"苍鹭说。

"我猜你说的是像我这样的人。"蛤蟆说着，便咯咯傻笑起来。

"我想是的。"苍鹭说完，也头一次笑了出来。他的笑声很干涩，好像他并不常让自己发笑。但这笑却是发自内心的，甚至让蛤蟆从烦人的傻笑变回正常的笑了。

"不好意思，"蛤蟆边说边擦眼睛，"我们一直都那么严肃，可突然间一切都显得那么滑稽，我实在憋不住笑。"

"请不要道歉，本来咨询就要结束了，而且还能结束得那么欢乐，多好。"

这一次，苍鹭将蛤蟆送到了门口，告别之际，他转身对蛤蟆说："蛤蟆，我认为你正在进步。虽然还有很多工作有待完成，但你已经在学习的道路上站稳脚跟了，从此再也不会走回头路了。"

　　苍鹭友好地挥了挥手，关上了门。蛤蟆沿着河岸往家里走去，他很久很久没有像现在这么快乐了。

第七章
愤怒的表现

在等待下一次面谈的一周里，蛤蟆琢磨着自己的愤怒情绪。想了很久，他发现自己的愤怒是和内疚感连在一起的。他成年后，最爱对他发火的人除了父亲，就是獾了。又高又壮的獾，很多年前就想阻止蛤蟆沉迷汽车，还把蛤蟆声色俱厉地训了一顿，让蛤蟆当场悔恨落泪，发誓要改过自新。可这又帮了蛤蟆多少呢？蛤蟆此时突然明白过来，獾永远都成不了咨询师。就和所有愤怒的人一样，獾从来不会倾听别人，只想摆出一副教导者的样子，批评人家的短处。

　　蛤蟆由此想到了和獾有关的一件事儿，那个情形历历在目，他再一次细细地回顾着。那是几年前，因为遭遇了一两次严重的车祸，蛤蟆正觉得难受呢。突然有一天，獾带着河鼠和鼹鼠来到蛤蟆庄园，非要他改一改自己的德行，别再为汽车着迷发疯了。

蛤蟆记得獾把他带进了庄园的吸烟室，狠狠地对他进行了一番道德谴责，逼得他痛哭流涕地忏悔。训话结束后，走出那间屋子，严厉的獾变回了和颜悦色的慈父模样，这让天生有股韧劲的蛤蟆又恢复了本性。

当时獾要求蛤蟆向河鼠和鼹鼠悔过，公开承认错误，这个要求当然被蛤蟆拒绝了。他现在还清楚地记得当时说的每一个字。

"不，我没什么可抱歉的，我干的事儿一点儿都不蠢，相反，我觉得光荣极了！"獾听到这话又惊又气，蛤蟆还烦躁地加了一句，"噢，对啊，在刚才那间屋子里，我什么都说得出口！"

事实的确如此。现在，蛤蟆意识到那时在獾面前的忏悔只是表象，其实他是在防御獾对他的攻击。不是发自内心的东西，就不能带来真正的改变。

"不过，又回到这个问题了。生气的总是别人，而不是我，这是为什么呢？"

终于，咨询的日子又到了，蛤蟆再次坐到苍鹭咨询室里，与咨询师面对面。

"早上好，蛤蟆。你今天精神怎么样？"苍鹭先开口问道。

"我觉得比之前开心一点儿了，睡眠好些了，而且多了一些做事情的兴趣。比方说，我现在又开始每天看报纸了，还真的能看得进去。以前我一度连翻都不愿意翻的。"蛤蟆答道。

"非常好。那么在我们的情绪温度计上，你觉得自己现在在哪个位置？"苍鹭翻动着沙沙作响的挂纸，找到了第一次面谈时画的那个图，就是一条垂直线，线的最下端为1，最顶端为10。

"我觉得我在5或6的位置吧。"蛤蟆说。

"你看到初次面谈时你的情绪了吗？"苍鹭边问，边指向几周前蛤蟆在图上做了标记的地方，在1和2的刻度中间。两人停了一下，对视了一眼。这一次沉默让蛤蟆感觉到的是善意。

终于，蛤蟆开口说："苍鹭，我可以为这次面谈设定议题吗？"

"当然可以。你这么做我会很高兴。"苍鹭说，"不过其实呢，咨询的议题一直都是由你来设定的。每一次面谈中，我都在帮助你探索一些问题，这些问题能让你最大限度地去学习和觉察。如果你能自己找到这样的问题，说明我们真的在进步。"

"我想分析一下我的愤怒，"蛤蟆说，"更准确地说，是我缺少的愤怒。上一次面谈我们说到，我改变了自己的行为来应付严苛的父母，你把这个叫作'顺从行为'。"

"是的，我记得，"苍鹭说，"还在挂纸板上。"他翻到了写着标题"顺从行为"的那一页，标题下面写着"同意""取悦""道歉"和"依赖"。

"我说过，你用这些行为来抵御父母的愤怒和攻击。你的问题是什么，蛤蟆？"

"问题很简单，可我就是想不出答案。我为什么不会生气？就是这么个问题。"

"你从没生过气吗？"苍鹭问。

"呃，没像獾这么发怒过。他生气时一脸严厉，嗓门很大很凶，还用手指着你骂。我跟你说，他真的能把我吓死！"

"你从来没像他那样过？"苍鹭问。

蛤蟆认真地想了想说："我想我有过一次。那次是野树林的一群黄鼠狼把我的家给占了，我和朋友们跟他们打了一仗。我气得呀，直喊着'杀呀'，就朝那只领头的黄鼠狼冲了过去。我打得他屁滚尿流，把他赶了出去，他的同伙也都吓跑了。可这是特殊情况。仗一打完我就累倒了，第二天午饭时间才从床上爬起来。那次发火不是我的本性，我并不是个真正的斗士。不过我得说，对那晚的表现我很自豪，应该说是引以为荣。"

"你完全有理由这么想，"苍鹭由衷地说道，"但我还是不明白困扰你的到底是什么。蛤蟆，你能更准确地说出你的问题吗？"

"好。前几次面谈你说，愤怒是一种基本情感，我很同意。我记得你把基本情感比作画家调色板上的三原色，所以我的问题是：既然愤怒是塑造我的行为的基本要素，那我为什么不会生气呢？"

"这真的是个非常好的问题，蛤蟆。不过，就像所有好问题一样，答案会让你产生痛苦的自我觉察。你做好了解的准备了吗？"

蛤蟆坚定地看着苍鹭说："我已经走到这么远了，不能在这里打住。"

"好的。虽然你的提问全部同感受和情感有关，但最好的方法还是用我们的头脑和理性来思考。我们从这里开始，想象一下这个情景：你被两个仁慈的独裁者给俘虏了，他们完全掌控了你，同时，又对你倍加关心照顾。你会有什么样的感受？"

"可能我对他们的感受会很复杂。"蛤蟆说。

"正是这样！而这就是你小时候所体验到的。这样仁慈的独裁者，也就是你的父母，显然占了上风，而你又完全依赖着他们，你怎么能对他们生气呢？何况你还爱着他们。"

蛤蟆一动不动，沉思后说道："的确像是个两难处境。不过，如果我的愤怒真的遇到了我父母绝对的权力，会发生什么呢？"

"在我看来，只存在一种可能的答案。"

"是什么呢？"蛤蟆问。

"你得学习如何不带攻击性地发火。"

蛤蟆立刻回应道："这是不可能的，愤怒一定是有攻击性的，这是愤怒的定义啊。也许答案更可能是这样：我学会了完全压抑我的愤怒？"

"我对这个答案感到怀疑。"苍鹭回答，"愤怒是我们行为的必要组成部分，不可能完全压抑下去。我们换一个比喻，这次用科学来打比方。想象一个煤气罐开始发烫，压力越来越大，有爆炸的危险，怎样可以迅速减压？"

"很明显，第一件要做的事就是尽可能把阀门开到最大，让气体能以最大强度喷射出来。"

"是这样的，这也是有些人应对愤怒的方式。他们像喷射气体一样，瞄准一个选定的目标释放愤怒，然后再恢复常态。可是，他们忘记或者故意忽略了一个问题，那就是这样的方式会造成伤害，还会对人际关系造成不利。"

"所以正像我之前说的，愤怒确实是有攻击性的吧？"蛤蟆着急地问，不想放弃他的观点。

"对，在这个例子里的确如此，这也是我想举例说明的。现在想一想另一个问题。还是刚才的例子，煤气罐发热后，内部压力也变大了，有没有别的不那么剧烈的办法来减压？"

"我想，如果要更小心一点儿的话，你就慢慢打开阀门好了，这样就能让气体在一段时间里慢慢渗漏出来。这是不是你想说的？"

"确实如此。蛤蟆，发现了吗？你快找到答案了！你和其他很多人学到的，就是如何不带攻击性地发火。你采取的方法就是用缓和的方式来释放愤怒，让别人几乎觉察不到，这样就不会让任何人不安。"

"可要怎么做呢？"蛤蟆哀怨地问，"我不记得我这么做过啊。"

"你还记得自己撒泼耍性子的时候吗？"苍鹭问。

"什么，这真的是愤怒吗？因为撒泼毫无意义，什么都干不成啊。"蛤蟆惊讶地叫道。

"亲爱的蛤蟆，"苍鹭耐心地说，"关键就在这里。撒泼正是表达愤怒的一种幼稚的方式。就像孩子听到大人说'不行，你不能这样！'这让孩子非常愤怒，同时又感到无助，因为对那个让他生气的大人，孩子没法用暴力或者带有攻击性的行为去回应，所以唯一能做的就是躺倒在地，又踢又叫。而当成年人也这么干的时候，我们会说他在'无理取闹'。"

"唔，我想我大概也无理取闹过几回。但不是最近的事儿了。"蛤蟆接着说，"你说过不带攻击性地释放愤怒是需要一段时间的，可是撒泼也持续不了多久啊！"

"是这样，不过有些方式可以持续很久，几个小时甚至好几天。"

"比方说呢？"蛤蟆问。

"比方说怄气呢？"

"怄气？我从没觉得这是发怒的一种方式。"

"我认为它是。"苍鹭说，"怄气的人是总绷着脸、阴沉沉的样子，而且安静得很反常。蛤蟆，在我看来，'适应型儿童'的所有行为里，怄气是最能说明怎样用时间来稀释愤怒的例子。通常这是孩子在权威之下无法随心所欲才做出的反应。成年人或许会因为输掉一场权力斗争而生闷气，也是同样道理。说白了，怄气是输家在对强大的赢家做出反应。

"这个行为完成了我们刚才讨论的，所谓通过逐步少量降压来降低愤怒的强度，这样攻击性肯定也就减弱了。"

两人随之沉默良久，各自陷入沉思。蛤蟆开始越来越强烈地觉察到，他的许多行为都源自"适应型儿童"的自己。苍鹭则试图搞懂蛤蟆在多大程度上理解了这些问题，同时自问，作为咨询师，是不是话说得太多了。

最终，蛤蟆先开口问："孩子学习愤怒，还有没有别的方式？"

"肯定有上百种了。"苍鹭回答，"你想，我们每一个人都必须适应各自童年的特定情形，所以就产生了各种行为模式，关联着各种情感和情绪，就像马赛克的色彩一样繁多复杂。"

"我可以问一下你究竟是怎么分析这些行为的吗？"蛤蟆问道。

"当然可以。我画一张图你就知道了。"苍鹭回答。

图形如下：

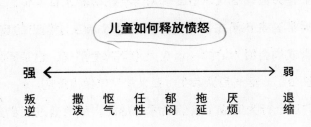

儿童如何释放愤怒

强 ←————————————————→ 弱

叛逆　撒泼　怄气　任性　郁闷　拖延　厌烦　　退缩

苍鹭继续说道："当然，这个图的关键在于，我知道你也开始认识到了，就是所有这些行为策略实际上都是从我们童年发展而来的防御机制，用来保护我们免于受到危害。这危害可能是真实存在的，也可能是想象出来的。当成年人怄气、撒泼、郁闷或是厌烦的时候，我们会想他们究竟是行为不当，还是在无意识或无法控制地重演童年的行为模式。"

"好吧，那又是多大点儿错呢？"蛤蟆感觉被苍鹭戳中了痛点，没好气地问，"谁都有幼稚的时候，不是吗？"

"在道德层面上，是没有'错'。心理分析不做道德评判。但这类行为会导致两个后果，都是负面的。第一个就是会被人嘲笑。看到一个成年人撒泼怄气是件蛮好笑的事情，但也让人尴尬。而更严重的后果是，这类行为告诉别人，这人是个失败者。"

"这么说让我感觉很糟糕。讨论了这么久，结果就是我发现自己大半辈子都很愚蠢。我能做点儿什么呢，苍鹭？我什么时候才能学会当一个成年人？"蛤蟆问。

"等到下一次面谈怎么样？"苍鹭说着，便面带微笑地将蛤蟆送到门口。

第八章

意外访客

正值下午茶时间，蛤蟆在电视机前观看板球比赛。他一直热衷于这项运动，如今虽然不打了，但仍然担任村里板球队的主席，对本地所有的板球赛都兴趣浓厚。蛤蟆正想沏点儿茶时，门铃响了。

蛤蟆庄园已不再有仆人，只请了个女工每周来打扫两次卫生，几间大一点儿的屋子都永久关闭了。蛤蟆基本就蜗居在温暖舒适的厨房，隔壁一小间早餐室里放着电视机，从那里能看到花园和河流的好风景。前门关着，蛤蟆都是从后门进出。

所以门铃一响，蛤蟆立马起身走过漆黑的长廊，拉开门闩，解开铁链，好不容易打开了铁制的大门。他惊诧地看到老獾站在面前。

"下午好，蛤蟆。"獾轻快地说完，便穿过门廊，目标明确地大步迈了进去。

蛤蟆一时说不出话来，他以最快速度锁上前门，在獾身后一路小跑着为宅子的状况道歉："你怎么不告诉我你要来？"他又东拉西扯了几句，觉得自己跟个傻瓜一样。

身为蛤蟆父亲的好友，老獾对庄园非常熟悉，径直要去开客厅的门，但蛤蟆抢先赶到了。"最近我不太用这间屋子。到那儿去吧。"事实上，客厅空置了好几年，已是积灰发霉，窗帘上蛛网密布。

蛤蟆把獾带到早餐室，捡起掉在地上的报纸，把拖鞋踢到桌子底下，给獾找了把椅子坐。他不安地走动着，感觉非常不自在。

"要来点儿什么吗，獾？茶，还是蛋糕？"

"不用，谢谢。我从来不吃正餐以外的东西。蛤蟆，你能把电视关了吗？影响我思考。"獾又加了一句，"现在看电视还早了点儿，不是吗？六点前我从来不开电视，开了也只看新闻，没有什么值得看的。"

蛤蟆立刻关掉了讨人厌的电视。他坐在椅子边上，想找点儿话说："最近天气开始转暖了，你发现了没有？番红花都开了。"

"只有番红花吗？"獾惊讶地说，"你该看看我的水仙花，一把一把地开！"

可怜的蛤蟆，他的水仙才刚长花苞。想到自己园艺活儿那么差劲，蛤蟆感到羞愧难当。

"可你还是老样子，蛤蟆，"獾严厉地说道，"你要是听一声劝，改一改多好。"

"对不起。"蛤蟆木然地说。他顺从地坐下来，等着獾继续数落他。

"听着，蛤蟆，我来这里是因为有件事情必须要讨论。我知道，你近来不在状态，也没有参加社交活动。但你要明白，世界还在继续运转，不会因为你情绪不好就停下来。"

"当然不会，我也不会傻到这么想。"

"所以，"獾继续说，"恐怕有件事儿必须得做。我肯定你父亲也会这么想。"

"噢，当然，我相信他会的。"蛤蟆低声说。可他完全猜不透獾说的是什么事情。

"你清楚我说的是什么吧，蛤蟆？"

"呃，不太清楚，你能说得再详细一点儿吗？"

"这很明显了，是关于你在本村学校当董事的事情。"

"对，我是校董，我近来缺席好几次董事会议是因为……"他停顿了一下，"是因为我身体不舒服。但我想着过不了多久我就去参会。"

村校很小，只有两个班级，却已为几代村民提供了教育。随着村民逐渐搬往邻近的镇上，学生人数下降，甚至有传言说学校要关闭。蛤蟆则致力于继续维护学校的生存，也在董事会花了很多时间，尽力筹集资金维持学校的水准。

"对了，就是这个，"獾说，"大家都知道你最近缺席会议，现在还有几件大事儿要商议。"

"我知道，我打算下一次开会就去。"其实蛤蟆刚收到上次会议的纪要，正打算写信给兼任董事会主席的校区牧师，说明他下次一定会参会。

"可到那时你可能还没完全好起来，是不是？"獾问，"你看起来还是有点儿憔悴。那个咨询师说什么来着？抑郁，对不对？真有意思，我想我这辈子都没抑郁过。大概是我有太多事情要做，没时间发呆想心事。"

蛤蟆感觉到獾指责的眼神，他开始感到愤怒，可愤怒很快化为悲惨的心情。蛤蟆觉得在獾眼里他只是矫情，他真希望自己能振作起来，学学老獾的样子。

"所以我和校区牧师谈了一次，他认同我的想法。你不用担心。"獾继续说。

"他认同什么？"蛤蟆不安地问。

"哎呀，就是同意由我来代替你做董事呀！我倒不是真有那时间，"獾语气严厉，从半月形眼镜里望着蛤蟆，"法庭和区议会那堆事儿，一天二十四小时都不够我忙的。不过，能者多劳。"

"可我还在董事会啊，"蛤蟆感觉多了分力量，"你知道，我还是校董。"

"是的，但如果你因健康原因辞去校董的位子，就不用选举了，校区牧师说他能增补我为董事会成员。所以蛤蟆，我想你现在就可以动笔写辞职信了，我会直接交给牧师，省去你寄信的麻烦。"

蛤蟆心乱如麻，他生气极了，真想一拳打在獾的鼻子上。獾怎么敢！怎么敢背着他去找校区牧师，还企图让他离开董事会！真不要脸！蛤蟆很喜欢学校董事会的工作，他在那儿有用武之地，也总是热衷于在蛤蟆庄园草坪上举办学校夏季活动。

可他转念一想，也许獾终究是对的，也许自己应该辞职让獾接管，獾肯定会对工作投入大量精力。但蛤蟆又想到，獾也会把别的东西带到工作里，獾会发脾气，不包容，还会惹恼别人。蛤蟆敏锐地觉察到，这就是和獾相处的代价，可这代价是不是太高了？

"好了蛤蟆，你打算写信了吗？"獾不耐烦地问。

蛤蟆不知道该怎么办。獾看着那么强大又自信，而他却感觉自己弱小又迟疑。

"我可能需要一两天的时间考虑一下，"蛤蟆的声音很小，"毕竟，我当校董有一段时间了，我想我会舍不得。"

"是的，蛤蟆，会有几天舍不得，可做事不能太多愁善感。记住，这对学校是件好事儿！我们不能感情用事。"

"噢，当然不能了。獾，我也希望我不是只考虑自己。"

"这么办吧，你考虑一下，今晚打电话告诉我怎么样？这样我能有时间去联系校区牧师，把该做的事情都做好。"獾说。

"我想，"蛤蟆鼓足勇气说，"我想我需要再多一点儿时间。我明天晚上打电话给你。"蛤蟆想起明天上午的咨询面谈，他需要苍鹭的帮助。

"好吧，蛤蟆，你总那么纠结。我能有今天靠的可不是纠结。看到问题，解决问题，果断决定，这就是我的作风。"獾说着，从椅子上起身。

"不麻烦你送我了，我能找到路。还有，蛤蟆，"獾加了一句，"我要是你，就会早早上床睡觉。你看上去很憔悴，你应该多照顾自己一点儿。先搞定自己，这是我的老话了。"
说完，他就离开了。

　　蛤蟆用仅剩的力气给自己倒了杯烈性白兰地加苏打水，
接着便瘫软在沙发上。

第九章

秘密协议

对于第二天的咨询，蛤蟆都快等不及了，他气得差点儿上蹿下跳。（他觉着"上蹿下跳"得用来形容一只欢快的蛤蟆才对啊。）

　　"等我告诉苍鹭去，"他自言自语道，"他绝对不会相信！獾就这么不请自来，还想让我放弃校董的职位。老獾这会儿千万别在我面前出现，不然他就惨了！我会让他知道我的厉害！"

　　可要知道，蛤蟆再生气，愤怒和狂躁也只在他心里翻江倒海，没有一点儿外露，所以旁人根本看不出他的感受有多强烈。

　　到了晚上，愤怒平息了，他又和往常一样心境不佳，感觉悲惨。"老獾终究还是对的，"他想，"他当校董比我好得多，他有动力，也有决心。或许他们让我当校董，不过是想在我的庄园举办夏季活动罢了。"那晚，蛤蟆睡不踏实，很早就醒了。

第二天，蛤蟆在去咨询室的一路上都垂头丧气，提不起精神。苍鹭领他进了房间，便问道："早上好，蛤蟆，你感觉怎么样？"

"真是糟透了！"蛤蟆平时不说粗话，可这回就像被飓风的尾巴扫到一样，仅剩的一点儿怒火还是差点溅出了火星子。

"说给我听听？"苍鹭说。

于是蛤蟆就把獾来访的事儿一五一十地告诉了苍鹭，还说了獾怎么劝他退出董事会。

"这件事情给你带来什么感觉？"苍鹭问。

"很糟糕，似乎我对自己对别人都没什么价值。我刚下决心准备把辞职信寄给校区牧师，这样对大家都好。"

苍鹭沉默了良久，不是因为他不明白蛤蟆的处境，正相反，他太明白了。他只是不确定该带蛤蟆走哪条学习之路。最终，他开口了。

"蛤蟆，我得祝贺你。你的游戏玩得很棒。"

蛤蟆抬起头，一脸茫然："'游戏'？什么游戏？我哪有玩游戏啊？"

"我认为你在玩游戏，"苍鹭答道，"你很会玩一个叫'PLOM'的游戏。"

"PLOM？这到底是什么呀？"蛤蟆问。

"PLOM代表了四个英文单词，意思就是'可怜弱小的我呀'[1]。这个游戏你每局都赢了，也可以说是输了，这取决于你自己的看法。"

"我真的不明白你在说什么。"蛤蟆恼怒地说，"我没有玩游戏。我诚实地告诉你这么件糟心事儿，你倒说我在跟你玩游戏？"蛤蟆一脸责怪地看着苍鹭。

"'诚实'是个很有意思的词。"

"你的意思是我不诚实？"蛤蟆真要发火了，好歹他的家族座右铭可是"捍卫名誉"。

"是的，就是这个意思。"苍鹭的回答让人惊讶，"不过，我说的'不诚实'和平时的意思有些不同，我是说，你可能对自己不诚实。为什么你总是遇到类似的事情？这些事情最后都让你显得很蠢，让对方占了上风，让你感觉又变回小时候那个可怜弱小的自己，到底是纯属倒霉，还是因为你用某种方式和对方共谋了这件倒霉事儿？"

---

1   原文为"Poor Little Old Me"。

"'共谋'是什么意思？"蛤蟆问。

"意思是达成一种秘密协议。我用'共谋'是想说，你偷偷地或无意识地配合对方，来给自己制造不快，这就是在玩心理游戏，而且在游戏里输的人才算是赢家。"苍鹭的话听着有些高深莫测。

"听着，苍鹭，"蛤蟆的口气很强硬，想要抗拒这些说法，"我没有参与你所谓的'共谋'。我根本不知道老獾要来，也不知道他要我辞职，而且我很想保留校董一职。整件事儿完全在我意料之外，所以我怎么可能偷偷地或用别的什么方式去配合獾？"看得出来，蛤蟆很生气。

苍鹭接下来的话在蛤蟆听来非常像是在道歉，也是他头一次听到苍鹭用这样的口吻说话。

"我很抱歉，蛤蟆。很显然是我的观点解释得还不够充分，不然你也不会没准备好探讨这个话题。你觉得我是在指责你，但这完全不是我的本意。所以我们是否可以先放一放这个话题，之后再来讨论？"

"那好吧，不过我倒想再听你说说这些所谓的游戏。我猜，你认为我玩的游戏还不止一个吧？"蛤蟆气呼呼地说。

"是的，我认为可能还有别的。但如果你对这个理念还那么抵触，那暂时就没办法去分析。我想我们该继续后面的讨论。"

在片刻的沉默中，蛤蟆意识到自己对苍鹭的那番话反应特别强烈，却又不清楚是什么原因。

"好吧，也许你是对的。在你说到'共谋'，说到我想让自己不快乐的时候，我的胸口直发烫。我在努力让自己活得悲惨，这听着也太蠢了。"

"蛤蟆，咨询过程中产生的一些概念，乍一听会显得愚蠢、不合逻辑，甚至让人害怕。但是越是能帮助你深入自我的概念，也越容易引发激烈的阻抗。"

"为什么呢？"

"因为这些概念最容易打破我们的心理平衡，它们最有可能带你走向深层的蜕变，而这个过程往往是痛苦的，我想你现在也感受到了。我们看到的自己，并不一定总是我们喜欢的样子。从当下的你，变成你想成为的自己，必定要经历行为和态度的转变，需要付出艰辛的努力，需要勇气和决心。所以蛤蟆，你现在应该懂了，为什么你会拒绝打开这扇学习之门，因为它通向一条艰苦之路。"

"但这扇门也可能通向深刻的领悟。"蛤蟆平静地说。

"当然，这就是为什么我们正一起努力，在同一条路上前行。"

许久，他们默默坐着，彼此相伴，一切尽在无言中。

苍鹭最终打破了沉默："我们现在继续吧？你之前一直在跟我说獾的来访，还有他带给你的感受。那么我来问你这个问题：你认为他来访时处于哪一种状态？"

"他一定不是处在'儿童自我状态'里，这是肯定的。"蛤蟆说，"很难相信他也曾是个孩子。他总让我想起我父亲。"

"答得很好，蛤蟆。我认为你说得完全正确。实际上，獾处在'父母自我状态'[1] 中。"

"那到底是什么？"蛤蟆问。

"处于'父母自我状态'时，我们表现得正如自己的父母。记住，他们是我们最早接触的人，因此对我们的影响是不可估量的。'父母自我状态'包含了自出生起，我们从父母那里学到的所有价值观和道德观，还包含了对生活的评判标准，让我们借此判断是非对错。这些价值观来自父母，所以父母是最能左右我们行为的人。他们的言行塑造了我们童年的生活，也不可避免地对我们之后的人生产生影响。"

"所以你觉得獾的父母可能是严厉的道德主义者，因此獾才会如此行事？"蛤蟆问。

1　原文为"Parent Ego State"。

"很有可能是这样，不过你得记住，蛤蟆，我们绝不是父母的翻版。虽然父母对我们影响极大，但每个人自身的独特性确保了我们不是父亲或母亲的复制品，而是独立的个体。"

"那么，"苍鹭接着问，"你觉得在一个处在'父母自我状态'的人身上，还会有其他的行为表现吗？"

"你是说他们的神情吗？我想到了父亲，他看上去很严厉，常常很不高兴的样子。"

"对，他说话的语气是怎么样的？"

"带着怒气。他有时候沉默冰冷，有时候大声怒吼，很吓人。我不知道哪个更让我害怕。"

"你还遇到过其他处于'父母自我状态'的人吗？"

蛤蟆想了一会儿说："有，我还碰到过几个类似的人。我学校有几个老师肯定是了。"他停了一下，又说："这么一想，我才发现自己一直碰到那样的人。有一次，我去板球场看看周六比赛的准备工作做得如何。某个臭脾气的球场管理员正在用白颜料画击球线，我走过去和他聊天，问他干得怎么样。他瞪着我说：'你过来前我干得好好的！'这话让我很不舒服。"

苍鹭笑了："听着是个很好的例子。还有吗？"

"我又想到一个，想起这事儿还觉得生气。那天我拿着几个要洗的领结去干洗店，领结弄脏了，有点儿汤的污渍之类的。柜台的女士看了一眼说：'你需要的不是干洗，是围兜！'她可真有脸说这种话！"

苍鹭又笑了，他说："我认为你再次触及了重要的东西。我们把它写下来。"他在挂纸板上写了标题"父母自我状态"，在下方画了一个圈，用竖线把它一分为二，在右半边写了"挑剔型父母"。

苍鹭问："蛤蟆，你会用什么词来描述处在'挑剔型父母'状态的人？"

"我想我们说到过。"蛤蟆拿起蜡笔写下了"爱批评人""愤怒"，还有"严厉"这几个词。"我猜还有很多别的词吧？"他问。

"肯定有，不过这几个词很能概括'挑剔型父母'的特点了。"苍鹭回答。

蛤蟆坐下来，看着自己写的字。半响后他说："苍鹭，有一件事儿我不太明白。"

"你能用问句来表达吗？这样有助于学习。"

"先前，我不确定自己可以。但你刚才告诉我的'父母自我状态'真的帮我打开了思路，比如能帮我很好地解释獾的行为。他来我家时说的话几乎都在对我挑剔、对我评头论足。难怪他总让我想到父亲！明白了这一点，我差不多就能预测下次见面时獾会怎么说、怎么做了。"

"非常棒，很明显你的情商提高了。"

"是吗？"蛤蟆惊讶地问。

"当然了。"苍鹭说，"聪明不仅仅是智商的事儿，我们也需要情商。"

"好吧，接下来的问题听着就不那么聪明了。这个问题就是：我的'挑剔型父母'去哪儿了？你说过，每个人都有'父母自我状态'，这来自年幼时父母的言行和对待我们的方式。这很好地帮我解释了老獾和其他人的做法。那么我呢？我的'父母自我状态'在哪儿？说实话我觉得我压根儿没有。我几乎从不发火，是真的，苍鹭。我不跟人生气，我不责备别人，也不训斥别人或是挑人毛病。实际上，情况通常正相反，我看到的都是别人的优点，还鼓励他们。这么说显得我弱了点儿，我知道，可这就是我。"

停顿了好一会儿，苍鹭开口了："蛤蟆，你准备好要做更多的自我探索了吗？也就是更深入的学习？"

蛤蟆坚定地看着苍鹭说："我准备好了，不过你知道，有时候我会受伤。我有了很多新的领悟，但不是所有的领悟我都能欣然接受。"

"我懂，我懂，"苍鹭体恤地说道，"不过还记得老话怎么说的吗？'没有痛苦，就没有收获。'"

"我觉得这种老话特别烦人。"蛤蟆的回答多了几分气势，"你经常能在印着海鸥和彩云照片的台历上看到这种废话，都是陈词滥调！"

"纵然如此，"苍鹭说道（他的语气在蛤蟆听来有些自以为是），"我们试着就你刚才的问题来找答案。也许落在纸上能帮我们澄清这个问题。"他在挂纸板上翻到新的一页，写了一句话：

蛤蟆有"父母自我状态"吗？

接着，苍鹭说："现在，我们来界定一下这个问题。"他写道：

1. 每个人都有"父母自我状态"。
2. 似乎没有证据显示蛤蟆有"父母自我状态"。

苍鹭转向蛤蟆并问："所以我们下一个问题该是什么？"

"显然，下一个问题肯定是'为什么我没有'。"

"我认为还有个更合逻辑的问题。"苍鹭说。

"是什么？"

"我们可以问'它是怎么运作的'。"

蛤蟆想了一会儿，终于说道："我不明白。我以为你也觉得我没有'父母自我状态'。既然如此，又怎么谈得上如何运作呢？"

"我并不认为你没有。实际上，我认为你有一个非常强大的'父母自我状态'。问题是'它是怎么运作的'。很显然，你的'父母状态'运作起来和獾的方式非常不同。"

"你真把我弄糊涂了，我都摸不着头脑了。"

"在我看来，困惑是学习过程的第一阶段，这说明固有知识的局限开始被打破了。你要直面新的信息，这些新的信息会挑战你现有的观念和行为模式。由此产生的焦虑是让你改变的动力，很可能也会开启你的创造力。"

蛤蟆看上去并不相信苍鹭的解释："我觉不得是那样。"他气呼呼的，说话都语无伦次了。

"那么，我们换一种方式来思考这个问题。我们把这个'父母自我状态'想象成一个法官，这个法官一直在控诉别人，给他们定罪，然后就能顺理成章地惩罚他们。这么说你能理解吗，蛤蟆？"

"当然能。"

"你觉得獾昨天的行为像不像一个法官？"

"噢，绝对像。他就是那副样子，搞得我觉得自己像个罪犯。这都是我的经验之谈，你懂的。被人定罪已经很糟糕了，可更糟糕的是连自己都觉得有罪！"

"所以你在审判谁，蛤蟆？"

"这就是问题的关键啊，"蛤蟆恼怒地说，"我不审判谁。我就不是那种人。"

"蛤蟆，请你再想一想好吗？问问你自己，你在审判谁？"

在良久的沉默后，蛤蟆低声说："我想我明白你的意思了。你是说，我在审判我自己？"

苍鹭静静坐着，不言不语。又过了一会儿，蛤蟆说："我猜，我判定了自己有罪，然后谴责自己。是这样吗？"

"没有一种批判比自我批判更强烈，也没有一个法官比我们自己更严苛。"苍鹭答道。

"天哪，你是说我们会惩罚自己？"

"会严厉地惩罚，包括折磨自己，在极端案例里，甚至会施以极刑。但问题是，即便对自己轻判，这种谴责和惩罚也可能伴随一生，变成无期徒刑。"

"那我能做什么？"蛤蟆问，"我的日子还很长，如果真有自我惩罚，我不要一直那样下去，我想过得快乐一点儿。苍鹭，我该怎么做，你能帮我吗？"

"这么说也许有些残酷，蛤蟆，能帮你的人是你自己，也只有你自己。有许多问题需要你向自己发问。比如你能停止自我批判吗？你能对自己好一些吗？也许最重要的问题是，你能开始爱自己吗？"

蛤蟆纹丝不动地呆坐着。半晌后，苍鹭问："你还好吗，蛤蟆？时间到了。"

"还好，"蛤蟆回答，"我没事，只是你给了我那么多东西思考，我的脑子嗡嗡直叫，头晕乎乎的。"

"那么回家路上小心些，"苍鹭说，"我们下周再见。"随后又加了一句："蛤蟆，要照顾好自己。"蛤蟆缓缓地穿过走廊，走出了大门。

第十章
午餐聚会

上一次和苍鹭面谈后，蛤蟆心里很难过。把"挑剔型父母"的概念用在其他人尤其是老獾身上，他能想得通。可用到自己身上，想到自己一直在自我批评甚至自我惩罚，蛤蟆就很不安。

　　与此同时，他也觉察到自身的变化——他的内心深处多了几分力量。他发现自己能更理性地思考那些让人情绪翻腾或是感到害怕的想法。当客观地检视自己时，他情绪波动没那么大了，这使得他能更好地理解自己，从而学到东西。然而从理性角度讲，他总觉得还有一些未解的疑团。

　　他了解了自己在"适应型儿童"状态里待了多久，也开始明白他真的会批判和惩罚自己，正如小时候父母对他做的一样，这甚至是在满足他的需求。他想起苍鹭所谓的"共谋"——"偷偷地或无意识地配合对方"。一个人能同自己共谋来谴责自己吗？而且不自知，连潜意识也没能察觉到？

蛤蟆很难应对这些想法，尤其当这一切还涉及他自己。它们在脑海里掠过，如影子般难以捕捉和窥探。再往前走是哪儿？苍鹭不断强调要理解和学习，可这条路最终通向哪儿？和苍鹭面谈到现在，这是蛤蟆第一次产生困惑，不知咨询还会持续多久。

可同时，蛤蟆自觉精力充沛了些。有一天早上，他发现自己沿着花园小径走向没有水的船坞，那里面存放着几条单人赛艇。他一一查看，有一条小船状况还不错。他把船拖到河边，取来船桨，小心地爬了进去，开始轻缓地划向河的上游。他划得很不赖，以前总会把水溅到身上，但这次他有意地控制住了。过了一会儿蛤蟆便返航了，虽然爬出船时腰酸背痛、气喘吁吁，但心情很好。他自言自语道："真开心，值得为这个喝一杯！"于是便去喝了杯啤酒。

这周快结束时，他收到了河鼠和鼹鼠的午餐邀请。自从他抑郁以来，他们都不来打扰他，原因有几个：首先，蛤蟆先前的样子让他们有些尴尬，也有些不知所措；其次，和所有生病或受伤的动物一样，蛤蟆只想离开人群一个人待着，而且他也明确示意了。

不过，现在不同了。头一个不同就是天气变好了，阳光每天都在变得更温暖。还有在河岸上上下下的船只都涂上了颜色，还刷了清漆，为夏天做好准备。消息传开了，蛤蟆驾船重返河上，气色还不错呢。不过最主要还是因为河鼠和鼹鼠想念他了，所以邀请他共进午餐。

蛤蟆沿着河岸去河鼠家的路上时感觉非常敏锐，仿佛卸下了习惯已久的盔甲。他的各种感官，尤其是视力，似乎格外敏锐。草木的颜色分外鲜艳，以前怎么没发现绿色的层次这么丰富。他能感受到外界万物的存在了，对四周环境也非常敏感。他发现自己边走边检视着内心的感受，就像飞行员升空前检查设备一样仔细。虽然对老友重逢稍有担心，但他大体上心情还不错。他心想："如果苍鹭拿情绪温度计测量我的感受，我会说给自己打个8分。"

蛤蟆到了，朋友们特别热烈地欢迎他，给他坐靠近壁炉的最佳座椅（室内还是很阴冷），鼹鼠还把靠垫围着蛤蟆放了一圈，确保他坐得舒服。

"噢，蛤蟆，见到你真太好了。"鼹鼠说，"你可担心死我们了。"

"是，我们很担心。"河鼠的语气很生硬，他不像鼹鼠那么情感外露，"我们当然想你了，来点儿雪莉酒？"

蛤蟆端着一小杯雪莉酒，试着慢慢小口抿。他永远也搞不懂这么小的杯子怎么一直有人用。他一般都喝白兰地加苏打水，在家喝雪莉酒时，他用的可是红酒杯。

"你们怎么样，老兄们？你们俩气色都很好。河岸有什么新鲜事儿吗？有我不知道的吗？"

"没有多少，"鼹鼠答道，"你知道冬天这里的样子。哪儿都安静得很，今年特别冷，我们都不怎么出门。"鼹鼠停了一下说，"不过你注意到什么没有，蛤蟆兄？我花了好多时间装修了屋子。你喜欢这壁纸吗？这可是威廉·莫里斯[1]的设计，叫'柳梢头'。"

蛤蟆看了看四周，发现屋子确实和他上次所见的大不一样了。壁纸的图案是漩涡状的棕色细柳条，上面画满绿色和黄色的柳叶。鼹鼠把墙壁连同天花板都粉刷了一遍，摆上橡木老家具，再加上生着火的壁炉，整个屋子让人觉得踏实舒适，朴素而实用。

"好极了，"蛤蟆说，"你干得多好啊，鼹鼠。我真希望蛤蟆庄园能有这屋子的一半精致。"他开始觉得有些丧气。

"好了，"河鼠插话了，"来吃午饭吧！就是我们这儿

1　十九世纪英国最伟大的设计师之一，工艺美术运动发起人。

没什么大餐。我们过得不讲究。"

鼹鼠正要加一句"不像你在蛤蟆庄园的日子",可他瞧见蛤蟆的神情,便沉默了。

午餐是家常菜,却很可口。河鼠做了洋葱浓汤,撒上烤面包丁。接下来还有斯蒂尔顿奶酪、新鲜脆面包、黄油和酸黄瓜。餐后他们还吃了一盘上好的考克斯黄苹果,配上一大罐咕嘟冒泡的啤酒。

很快,他们放松下来,蛤蟆开始觉得自在起来,几乎变回了从前的自己。他说笑起河鼠的趣事儿,公平起见,也讲了自己的滑稽事儿。鼹鼠随后问他最近有没有见到老獾。"我们可有些日子没见他了。"

"呃,也是怪了,他前两天刚来过我家。"蛤蟆答道。

"去你家!"河鼠叫起来,"老天!他一定心心念念想着你,蛤蟆。我从没听说老獾以前拜访过谁。"

"好吧,不是你说的那样。"蛤蟆于是说了獾来访的经过,还说了獾怎么让他辞去校董一职以便取而代之。

蛤蟆话音刚落,鼹鼠便叫道:"我惊呆了!真做得出来啊!獾有很多优点,精力也十分充沛,可他有时也太自大了。真是过分!"

"是啊,"河鼠表示同意,"不过你还没告诉我们你最后的决定呢。"

"我没说吗？呃，我想了很久，甚至还和苍鹭商量了。"

"就是你的心理咨询师吗？"鼹鼠插嘴说，"你们谈得怎么样？"

"噢，还不错。"蛤蟆接着说，"我想好了要辞职，我觉得没法儿和老獾再对着干。他那么强势，那么确信自己是对的。可转念我又想，为什么呀？为啥我就得同意他的想法？为啥我就不能按我的想法去做？老实说，我很生他的气。"

"那你去找老獾告诉他你的决定了吗？"鼹鼠饶有兴致地问。

"没有，我没去找他，"蛤蟆说，"我觉得如果见到他，我准会输。我的确很幼稚，我承认，确实是这样。所以我给他留了张便条，告诉他经过再三思考，我不会辞职，因为我身体好多了。如果他愿意，可以等到九月董事会重选时毛遂自荐，到时再见分晓。"

"做得好，鉴于当时的情形，我觉得你处理得非常好。"河鼠由衷地说。

"是啊，你做得对，"鼹鼠表示同意，"要是让我来说的话，这次是蛤蟆你赢了。"

"你们真这么想吗？"蛤蟆问，他感到一阵奇怪的舒畅。

"完事儿后我累瘫了，好像打完了一场我不想打的仗。不管怎么说，现在都过去了……希望如此。"他低声加了一句。

又聊了一会儿后，蛤蟆说他得回家了。河鼠和鼹鼠提出陪他回去，他们也正好锻炼一下。三人就这样走回蛤蟆庄园，蛤蟆谢过了午餐，他们还约定不久后再相聚。

"要不下次打桥牌？"河鼠提了个建议，他打得一手好牌，还教会了鼹鼠桥牌的基本规则。

"我们三缺一呢。"鼹鼠说。

"别叫老獾。"蛤蟆强硬地说。

"不会，我想的是水獭。"河鼠说，"我们先想想，到时联系。"

"再见。"说完他们便离开了。

回家途中，鼹鼠问河鼠："好了，你怎么看？"

"什么怎么看？"河鼠正想着别的事儿。

"当然是怎么看蛤蟆了。你不觉得他有所变化吗？"

"我同意。"河鼠说，"不过具体哪儿变了不好说。"

"他更会倾听了，"鼹鼠回答，"这是关键。他开始懂得倾听，而且看上去是真的能听进我们的话。以前，你连一句话都说不完，他就来插嘴。说心里话，他看上去更友善、更平和，没以前那么烦人了。"

"是的，我明白你说的。"河鼠附议道，"他过去常常犯浑，总爱自吹自擂。我想这次崩溃（他们都用'崩溃'这词来形容蛤蟆的状况）倒是治了治他的毛病。不过，听他说老獾的事儿，我还是吃了一惊。蛤蟆过去是绝不敢反抗老獾的。他变化真大！"

"我也这么看。"鼹鼠说，"可是，"他又怅然若失地加了一句，"我觉得蛤蟆失去了以往的光彩。"

第十一章
蛤蟆先生的选择

"今天你感觉怎么样？"苍鹭问。本周的咨询面谈又开始了。蛤蟆不仅对这一问早有准备，还很迫切地想作答。

"我感觉好多了，我明显比过去感到快乐，精力也充沛了许多。"他告诉苍鹭他又开始下水划船，以及和两个朋友共进午餐的经过。

"好极了，不过蛤蟆，你有没有想过为什么会发生这些变化？"

停了好一会儿，蛤蟆回答："我不确定。要了解自己脑子里的想法是很难的。不过，我明显感到更有力量了，这很难解释。有时那种熟悉的情绪还是会来，我会悲伤，会觉得自己没价值。那种情绪还藏在我心里某个角落，可再也不会占据整个心房。我似乎能把它赶到角落里，不再被它牵着鼻子走。"

"我很高兴听你这么说。很显然，你的自我洞察力和情商都在提升。但我想问你个问题。"苍鹭凝神看着蛤蟆，"你刚才回答我问题时，处于什么自我状态？"

蛤蟆想了想说："呃，肯定不是'父母自我状态'，但我知道我也不在'儿童自我状态'。"他停了一下，接着说："近来我一直在想，应该还存在另一种自我状态，让你既不会表现得像父母，也不会感觉像孩子。在这个自我状态里，你更像个大人，更像当下的自己，不知道这么讲是否说得通。"

"完全说得通。"苍鹭的语气满怀热切，"确实有这么个状态。而你已经自己发现了，非常棒！"

"是吗？"蛤蟆有些惊讶地问，"它叫什么？大人状态？"

"倒不是，我们称它为'成人自我状态'[1]。加上它，就形成了自我状态的三位一体，分别是父母、成人、儿童状态。这个三位一体也代表了人格的结构。我们可以简单地画个图。"他拿起蜡笔，刚要在挂纸板上画时，蛤蟆打断了他。

"让我来好吗？我知道怎么画。"蛤蟆画的如下所示：

---

1   原文为"Adult Ego State"。

"关于'成人自我状态'，你能再说说吗？"蛤蟆问。

"'成人自我状态'指我们用理性而不是情绪化的方式来行事。它让我们能应对此时此地正在发生的现实状况。"苍鹭回答。

"这究竟是什么意思呢？"

"意思是，在这个状态下，我们能计划、考虑、决定、行动，我们能理性而合理地行事。处于这个状态时，我们所有的知识和技能都能为自己所用，而不再被脑子里父母过去的声音所驱使，也不会被童年的情绪所围困。相反，我们能思考当下的状况，基于事实来决定要怎么做。"

"那么，是不是说，这个'成人自我状态'比其他两个状态更重要？"

"并不是这样。"苍鹭答道，"在成功的人生里，这三种状态都是必需的。它们已经演化了千百年，所以每一种状态肯定都很重要，都对生存有价值。不过，我们可以说的是，'成人自我状态'有它特殊的重要性。"

蛤蟆听得相当专注。

苍鹭继续说："只有在'成人自我状态'里，才能学到关于自我的新知识。"

停顿了许久，蛤蟆说："你确定吗，苍鹭？我在'儿童状态'里就学不到东西吗？"

"是的，我认为不行。在'儿童自我状态'时，你会体验到童年的感受，好的坏的都有。你会再现过去的情形，再次体验过去的情绪，可你学不到任何新的东西。"

"我明白了，那处在'父母自我状态'呢？难道也学不到什么吗？"

"我认为答案还是'不行'，但原因不同。当你处在'父母自我状态'时，基本上你不是在挑剔就是在教育别人。不管是哪种，你都在用言行重复从父母那里学来的观念和价值观，你会想证明给别人看，让别人接受你的观念和价值观。这种确信无疑的状态，就没法给新知识和新理念留出一席之地。旧的思想主宰着你，这就是为什么单靠争论不能改变一个人的想法，只会让人更固执己见。"

沉默片刻后，蛤蟆问："所以你是说只有当我处在'成人自我状态'时，才能更好地了解自我？"

"是的，我想你说对了。因为只有在那个时候，你才能思考当下的事情，评估自己的行为，或者倾听别人对你的看法而不马上驳斥，当然这一点很难做到。"

"那为什么我觉得学东西很难？如果你说的是真的，为什么你不直接带我进入'成人自我状态'，然后告诉我怎么做？这能省下我多少时间啊。"

"我不知道你这么说是不是认真的，假定你是认真的，我会这么回答你：其一，没人能强迫别人进入他们的'成人自我状态'。你只能鼓励他们，就像我一直在鼓励你一样。但我没法强迫你，只有你自己能决定要怎么做。"苍鹭停下来，凝神看着蛤蟆。

"其二呢？"蛤蟆很快问道，想缓解逐渐积累的压力。

"其二，我不'知道'你应该怎么做。咨询的主要目标是让你能自己找到答案。我会在这个过程中协助你，但只有你自己能做决定。"

"是的，这点我发现了，"蛤蟆缓缓地说，"可为什么就这么难呢？"

苍鹭想了一下说："难，是因为这个过程需要艰辛的努力和刻意的思考。我们在另外两种状态时，像父母或儿童一样行事，几乎不需要去思考，因为我们知道要做什么、说什么，就好像在演戏一样。"

"你说的意思是？"蛤蟆很喜欢业余舞台表演。

"就好像出演一个我们最喜欢、最了解的角色，台词和动作都烂熟于心。比方说，有个角色叫'生气鬼'。'生气鬼'很懂该怎么表达愤怒。遇到适合他演的剧目，他能一字不差地说出台词，而且他经常遇到这样的场景，是不是很奇怪？他能不假思索地切换到愤怒的语调和音高，自动筛选出合适的用词，他的整个姿态都在表达愤怒。总之，他演的'生气鬼'接近完美，而关键在于，甚至都不用动脑子！就好像为了这场演出他排练了一辈子，而频繁地出演这个角色也使得他每一次表演都更传神。"

蛤蟆的神情很是忧虑。"你是说愤怒的人是故意愤怒的吗？"他问，"他们选择了这个角色？"

"当然，不然他们为什么要这么做呢？"

片刻后，蛤蟆说："呃，也可能是有人让他们生气。"

"你说到了一个很重要的问题，蛤蟆，值得我们仔细想一想。我认为没有人能'让'我们产生什么感受，除非他们用蛮力胁迫你。说到底，是我们'选择'了自己的感受。我们'选择'了愤怒，我们'选择'了悲伤。"

"噢，得了吧！"蛤蟆打断了苍鹭，"没有一个正常人会'选择'去感受悲伤或痛苦。这完全说不通。"

"我知道，这听上去不太可能，但你可以从另一个角度来思考。一个人怎么能进入你的脑袋，强迫你产生任何情绪？那才是真的不可能。别人或许会影响或说服你，可最后，是你自己在决定要选择什么样的感受。"

蛤蟆看上去很困惑："你是说人们的痛苦和折磨都是自找的？我实在不能相信。"

"我同意，要接受这一点很难。"苍鹭说。

"要我说，真这样才见鬼了。"蛤蟆压低嗓音嘟囔着。

显然，苍鹭没有听见。"也许'选择'这个词不太恰当，我们选择怎么感受，和选择再吃块巧克力是两码事儿。但我们做这些选择时都是无意识的，更像是一种条件反射。"

"条件反射是什么？"蛤蟆问。

"条件反射是一种针对特定刺激物的自动反应。你一定听说过巴甫洛夫的著名实验。实验里的狗听到铃响就会流口水，因为他们学会了把铃声和喂食关联在一起。可怜的狗自从习惯了这个关联后便无法控制，变成了一种自动反应。"

"你把腿交叉时，医生敲击你膝盖，脚就会自动弹起来。我猜这和你说的意思差不多吧，你没法儿不让脚弹起来。"

"正是这样，"苍鹭热切地回应，"这个例子完美地表达了我的意思。只不过我们要讨论的是情绪化的行为。以往的经历教会我们在相似情境下不经大脑就能自动做出反应，可以说，就像实验里的狗一样，我们无法避免这种反应。"

"可这不就是我一直在说的吗？"蛤蟆插嘴说，"如果我们无法避免这么做，那就不是我们的错。你不能怪我得了抑郁，这对我没有帮助。"他停了一下，"而且非常不公平。"

苍鹭沉默了许久，这让蛤蟆非常不自在。接着，苍鹭说："那么，蛤蟆，你这段时间的不快乐，该去怪谁？是谁让你情绪那么坏？"

蛤蟆停下来，开始思索。他心里隐约知道，自己正在偏离轨道，可他太激动了，停不下来，也不愿停。

"第一个要怪的就是老獾，然后是河鼠。鼹鼠，多少也得怪。我告诉过你，他们每一个都是怎么可怕地对待我的，当我从……"他停了一下，"当我外出回来的时候。然后你让我看到，在我的成长过程中，是父母待我的方式让我变成现在这个样子的。我知道他们也许是无心的，可我还是得怪他们。没别人了，我就是要怪他们。我过的是什么糟糕的人生啊。"蛤蟆生着气，落下辛酸的泪水。"不公平，"他说，"一点儿都不公平。"随后他又抽泣起来。

苍鹭静静坐着，这回没有把纸巾盒推给蛤蟆，只是坐着。最终，他说话了，语重心长的样子让蛤蟆立即回过了神。

"蛤蟆，你已经走到十字路口，没法儿再回头了。你要选哪条路？"

"我不明白你的意思，"蛤蟆边擦眼泪边说，"你说得好像我得做什么选择似的，是吗？"

"是的，选择就是：你还要为自己的不快乐责怪别人多久？"苍鹭答道。

"可你知道剩下的选择是什么，你想让我责怪自己。我不要。"蛤蟆气恼地说。

"这完全不是我要说的选项。责怪是人处在'儿童自我状态'里做的事情，好像你最喜欢待在那个状态里。但一个处在'成人自我状态'的人，可能会有怎样恰当的做法呢？"

蛤蟆试着让脑子转起来，可他心里满是矛盾的情绪，而他下意识地知道，自己正处在自我探索的重要时刻。"我不确定自己知不知道。"他说。

"相比责怪，负起责任听着如何？"

一阵长久的沉默之后，蛤蟆终于平静地说："我不确定是否懂你的意思，你是说，我该为自己的行为负责？"

"还包括你自己的情绪，这才是成年人会做的事情。毫无疑问，这很难，但相比于责怪别人，它还真有个天大的好处。"

"什么好处？"

"就是，你能开始对此行动了。如果你为自己负责，就会认识到你对自己是有自主权的。因此你就知道自己有力量来改变处境，更重要的是，有力量改变你自己。"

"那我的父母呢？我能对他们做什么呢？要怎样做才能弥补我？"

"他们还健在吗？"

"不在了，过世有段时间了。"

"那你能做的只有一件事。"苍鹭答道。

"什么呀？"蛤蟆焦急地问。

停顿片刻，苍鹭答："原谅他们。"

蛤蟆心里的声音冒了出来。他想问苍鹭为什么要原谅父母，是他们让他的人生那么痛苦啊。为什么他就不能以怨报怨，让父母也尝尝他小时候的滋味？他不只对父母生气，也开始对苍鹭生气，苍鹭和父母在他眼前慢慢重合，变成了同一个怨恨对象。他觉得自己的暴怒就快决堤了，要是释放出来，后果不堪设想，甚至会让他想杀人。蛤蟆坐在那儿，心跳加速，浑身发烫。然而如往常一样，再激烈的愤怒最终都化为乌有，只留他在疲惫中痛苦悲伤。

很难说苍鹭是否觉察到蛤蟆的情绪起伏。过了一会儿，他温和地说："我们的时间该到了。"说完，便陪蛤蟆走到前门。

走到门阶上时，蛤蟆转身问咨询师："苍鹭，你真的想了解我吗？"

"你怎么会这么问呢？我非常想了解你，而且我也在努力弄明白，你身上发生的一切是如何造就了今天的你。"

"这个我知道，可你了解我所经历的一切吗？"

"好，这么说的话，我想我不完全了解。有些事情我知道，尤其是和你童年相关的，但我不清楚你人生的整个经过。你想说给我听听吗？"

"我想，其实我特别想。我想把我的整个人生经历说给你听。我还从没对别人说过。倒不是我的人生有多精彩，实际上很平常，我只是想有个机会把我经历的事儿跟别人说一说，一次就好。这样你就能懂我了。"

"很好，下周的面谈我们就这么办。由你来讲故事——'蛤蟆的人生故事'，你说我听，如何？"

"那就谢谢你了，再见。"蛤蟆说完便沿着过道向大门走去。他已经开始在心里计划着该说什么了。

第十二章
说出人生故事

一周后，蛤蟆坐在苍鹭的正对面，准备讲述他的故事。想到这是头一次有机会面对一位专注的听众说出自己的人生故事，他感到很兴奋。

"我从哪儿讲起？"他问。

"都可以。"苍鹭回答。

"好吧。我最久远的记忆是：我坐在一把遮阳伞下的沙地上，感觉很悲伤。我们总去康沃尔郡一栋黑乎乎的、叫'苔藓屋'的大宅子里度假。你得走上台阶才能进屋，从那儿能看到海港的漂亮景色。可我每次去那儿都不开心。父亲只有到周末才下楼，作为独生子，我只能和保姆还有母亲待在一起。母亲永远都在忙，以至于我大多时间都是独自待着，黯然神伤。"

"那你其余的家人呢？"苍鹭问。

"要从头说起的话，那就得先说说我的祖父——科尼利厄斯。他创立了老艾比酿酒厂，这家厂一直到今天都还在生产。只可惜，现在已为国家啤酒公司所有，生产拉格淡啤酒，唉！

"我想他应该是那一代人的典型代表吧，努力工作，用家长作风对待下属，用道德说教对待家人。听父亲说，那个时候，每个人在圣诞节都会收到一只火鸡，每顿午餐都会有两杯啤酒。我还很小的时候，就被祖父带去参观酿酒工厂，被别人称作'蛤蟆少爷'。我还记得祖父指着我对工头说：'这可是未来的董事长！'而我却感到害怕。"

"为什么？"苍鹭问。

"因为即使在那么小的时候，我就知道自己不想在那个地方工作！"

"为什么？"

"因为我怕祖父。他不仅人高马大，还相当有权有势。那时我家住村里的一栋大房子，而他住在蛤蟆庄园。你简直想象不出我去庄园见他和祖母时的情形：有女仆、用人、厨子，还有一大群园艺工人。每一年举行赛船大会时，有好几天，庄园里到处都是来访的客人。我还听说有一年，连王子和公主都坐船来庄园，在草坪上举行了盛大的午宴。可现在的庄园怕是连当年一半的风光都没有了。"蛤蟆哽咽了，一大颗泪珠从脸颊上滑落。

停顿片刻后，苍鹭开口说："那你的父亲呢？"

蛤蟆擤了擤鼻子，接着说："我总觉得父亲希望自己能活成祖父那样，可实际上他并没有，所以才会对我加倍严厉和专制。现在想起他，哪怕他死了有二十年了，我还是能感觉到他对我的不认可。我从没成为他希望看到的我！

"我的父亲托马斯工作勤奋、上进心强，遵循着新教教徒的职业道德。我觉得他总背负着继承人的重担，不仅要继承酿酒厂，还想坐上公司董事长的位子，尤其是在祖父退休了却仍然占据董事长席位时。可以很肯定地说，父亲虽身为总经理，却始终活在祖父的阴影之下，让他不得不尽一切努力来证明自己的实力。"

"所以你记忆里的他是怎样的？"苍鹭问。

"他很严厉，总对我不满意。我一直都渴望他的爱与关注，却从没得到过。我母亲挂在嘴边的话总是'现在不行，西奥，你没见你父亲忙着吗？'而父亲一喊'西奥菲勒斯！'（没几个人知道我受洗时的教名是西奥菲勒斯）我就吓得两腿发软。"

"那你的母亲呢？"苍鹭问。

"好在母亲对我要慈爱得多，我还记得她抱过我几回，可绝不会当着父亲的面抱我。父亲在时，母亲对我就比平时严厉，这让我感到内疚和担忧。我永远不明白自己做了什么事才导致她对我突然态度大变。不过她其实还是个很有趣的人，我记得她陪我玩，尤其是打扮得漂漂亮亮唱歌给我听的情形。有一回父亲突然走进房间，她便立刻打住了。一直到今天，我还会常常感到莫名的内疚和担忧，和那一回的感受一模一样。"

"那她的父母是怎么样的？你还记得他们吗？"

"你这么问还挺有意思。"蛤蟆比之前多了些许活力，"在我早年时，外祖父对我影响很大。他曾是剑桥大学的学院董事，之后当上了附近教区的牧师，在那期间他投身于南太平洋的传教活动。让所有人惊讶的是，他当选了牛津郡布卢伯里的副主教，而且他的布道很出名。我总觉得我的演讲才能大概是遗传了他的。"见苍鹭对此未做反应，蛤蟆继续说了下去。

"人们都尊称他为'主教大人'，连我母亲也不例外。我们很少见到他，但我记得有一次他来我们的教堂传教布道。母亲非常支持他的工作，我们的房子里有好多传教箱，做成稻草屋的形状，顶上有道用来投币的口子。我听说，这些钱会用来帮助主教在南太平洋设立学校和医院。更激动人心的是，这些钱还会被拿来造一艘船，环游南太平洋岛屿。"

"可这和你说的主教来你们教堂布道有什么关系呢？"苍鹭问。

"我正要说这个。主教来布道时，他带我们想象了船的样子，虽然当时船还没造好。他为船的一杆一柱祈福，最后，我们还合唱了赞美诗《献给海上遇险的人们》。我深深地为此着迷，我想正是在那时候，我的心里埋下了种子，让我一生都钟爱划船。"

"上学的情况呢？"苍鹭问。

"那就是另一回事了。我七岁那年被送到布莱顿的一所叫加隆的预备学校上学，我在那儿整日郁郁寡欢。好在校长为人还不错，待人温和，就是有些轻微的战后心理创伤。总的来说，我们的待遇不算差，只是永远都吃不饱肚子。有两种情形至今还让我记忆犹新。"

"是怎样的情形？"

"第一种就是，每学期开始，因为离开了家，我感到孤单悲伤。第二种则是，学期结束时我兴冲冲地回家，却受到冷遇，无比失望。

"十三岁时，我去了约克郡一所叫圣恩底弥翁的中学。这所学校不论在位置还是组织上都以学校教堂为中心，遵循强身派基督教教义[1]，推崇健身修行。我天天累得气喘吁吁，也没人同情。我从没喜欢过这种修行，团队活动对我简直是折磨。总有人向我提起'主教，你外祖父'，我才知道他是校董之一。我很清楚，他不会对我的行为举止感到高兴的。"

"所以这一切都只有伤痛和不幸，是吗，蛤蟆？"苍鹭询问道。

"噢，不，不是这样。"蛤蟆的回答多了几分活力，"我喜欢参加唱诗班，另外我的一大成就便是在期末的轻歌剧里出演女一号。我开始学打高尔夫，还将高尔夫差点[2]降到12了。但更重要的是，我发现自己挺会交朋友。我总能把人逗乐，而且还用父亲给的生活费买糖果给朋友吃。他们叫我'蛤蟆好老兄'，我喜欢这称呼。现在想来，我还是喜欢别人这么叫我，也许这就是我那么喜欢鼹鼠的原因吧。"

蛤蟆停下来思考了片刻，苍鹭并未作声。蛤蟆接着说了下去。

---

1 原文为"Muscular Christianity"。强身派基督教主张通过强身健体来彰显上帝的荣耀。
2 用来衡量球手水平的指数，差点值降低，代表水平的提升。

"我很用功，成绩很好，一路升学到高中最高年级，也是在那时，我开始在很多方面找到了自我。从那时起我开始佩戴领结，还记得我在家戴领结让父亲感到强烈的不满。那是头一次，他的反应让我有一种真实的满足感。我想，如果他对我不满，至少说明我还有本事让他不满！自那以后我便一直戴着领结。"他边说边别扭地摆弄着自己深蓝色带波点图案的领结。

"我还成立了一个叫'布丁'的餐饮俱乐部，担任创始主席。我们常常越界跑到邻村开会，我这辈子对美酒佳肴的兴趣就是从那时开始培养的。我还得了个放浪不羁的名声，买了一些斯特拉文斯基和柏格的唱片，我觉得当时有几位老师对我印象很深刻。不过现在我的品味不一样了，我更爱听舒伯特。"

即便蛤蟆的自我爆料让苍鹭感到惊讶，苍鹭也没有流露出什么来，只是不断交叉他又细又长的腿。"那么之后发生了什么？"他问。

"我升入了剑桥大学。不知怎么我竟勉强通过了拉丁文入学考试，拿到了入学名额。起初他们想让我读神学。简直不可思议！接着很快他们就让我改学历史，可我不喜欢。"

"那你为什么同意呢？"苍鹭问。

"噢，你说得轻巧。"蛤蟆恼怒地说，"我这一辈子都是别人在替我做决定，你难道看不出来吗？"

苍鹭回答说他没看出来，并请蛤蟆接着往下说。

"好吧，虽然如此，我还是很享受在剑桥的生活。我结识了很多朋友，大概并不是我父亲希望我结交的那种朋友。我们成立了'风神诗社'，每周聚会一次，我们在房间里吃早餐，一边朗诵自己的诗歌，一边品着勃艮第白葡萄酒。除此之外，我很擅长划船，一到夏季学期，我们便成天挎着装食物的篮子去格兰切斯特村野餐。"

"你的功课怎么样？"苍鹭问。

"我正要说到这儿。不过即使现在回忆起来，我都觉得有些痛苦。"蛤蟆沉思片刻后说，"因为我参加了这么多课外活动，我的学业很糟糕，实话说，几乎是彻底荒废了。我一直都没去上辅导课，只给辅导老师送去一封看似诚恳的道歉信，外加一瓶陈年佳酿。就这么一直太平无事，直到最后一学期。"

"发生了什么事情？"苍鹭问，身子微微前倾了一下。

"呃，"蛤蟆看上去非常不自在，"这事儿我从没告诉过任何人。我被叫到老师的书房，听他向我念了《取缔闹事法》。他对我说了些非常伤人的话，在我看来都是毫无必要的。我再一次被拿来和我的'主教'外祖父比，说我多么不如他，我才知道原来外祖父曾是剑桥的研究员。

"但是最伤人的大概还是学院牧师对我做的事情。他曾经参加过我们诗社的早餐聚会，后来他给我寄了封信，让我好好琢磨一下信里抄录的一段圣经经文，这段经文我一直都记着。"

"哪段经文？"苍鹭看上去饶有兴趣。

"但以理第五章第二十七行，讲的是巴比伦末代国王伯沙撒举行千人宴会，突然出现神秘之手在墙上写下预言。"

"快说吧，写了什么？"苍鹭更好奇了。

"写的是：'弥尼，弥尼，提客勒，乌法珥新。'我小时候就知道这个圣经故事了，可我忘了这句话是什么意思。"

"噢，行啦，蛤蟆，"苍鹭急切地说，"这句话到底是什么意思？"

"意思是'你被称在天平里，显出你的亏欠'！"

说完，蛤蟆沉默了好一会儿，坐立难安，而苍鹭则望着不远处。

等蛤蟆镇定一些后，苍鹭问："那么之后发生了什么？"

"学院里谁都不愿看到大学生期末考试不及格，所以我被安排修读一门'特设课'，以一篇论文替代所有考试，论文题目是'尼尔森上将的一生'。我用一个月的时间拼命学习，总算是通过了。我告诉父亲学院奖励我修读一门'特设课'，他又惊又喜，还给我涨了生活费！可我清楚，狂风暴雨就要来了。"

"说到这儿，我建议我们稍作休息。"苍鹭离开了房间。不一会儿，蛤蟆听到了冲水声，接着苍鹭便回到了座位。

"我们说到哪里了？"苍鹭问，"噢，对，我想起来了，狂风暴雨就要来了。请接着说下去，好吗？"

"好的，我想说的就是这个。"蛤蟆继续他的讲述，"很长一段时间里，父亲一直在给我明确的暗示，希望我接管酿酒厂。想到酿酒厂我就害怕，那可怕的气味、蒸汽，还得一大早七点半就去工作！平时不到十点我可起不来！接着父亲就会规劝我要担起责任，因为公司必须留在自家人手里。他的话让我非常难受，感觉难以胜任，我便说我做不到。接下来他就开始责骂我，说我是个废物，说了我和我朋友各种难听的话，还说我最不会做的事就是管理公司！"

"那些事情让你有什么感受？"苍鹭问道。

"你觉得呢？我当然感到很不开心，那时我常常在当地酒店的鸡尾酒吧里待很久，再醉醺醺地回家。"

"那后来又发生了什么？"

"有位剑桥好友告诉我，我以前念过的布莱顿预备学校正在招聘一名初中老师。于是我申请了这个职位，没想到还被录用了。我和学生们相处得不错，什么都由我来教。学校以海军传统为荣，所以我对尼尔森上将的深入了解一下子有了用武之地。我很受学生欢迎，说实话，这真让我挺高兴的。我还得了个绰号叫'可恶的蛤蟆'，不过我觉得他们是喜欢我才这么叫我的。"

"男孩里的男人，男人里的男孩。"苍鹭轻声说。

"这是什么意思？"蛤蟆问。

"没什么。后来呢？"

"呃，我在那所学校待了一年，有一天忽然收到电报，说我父亲突发心脏病去世了，让我立刻回家。显然，他那时刚刚卖掉了酿酒厂，我觉得他是因此受到了太大压力而死的。母亲获得了父亲留下的全部股份，去和她住在西南部的妹妹一起生活了，而我则成了蛤蟆庄园的继承人，还分到了一大笔钱。"

"所以你过得很快乐？"苍鹭问。

"不，"蛤蟆强烈反对，"我非常不快乐，觉得自己配不上。蛤蟆庄园很大，有可以摆宴席的大厅，还有一大片地。我忽然发现整个庄园都得由我照管，包括厨子、仆人，还有外面的员工。到了晚上，我在各个房间里走动，许多房间我过去从没踏入过半步，我感到非常孤单。

"但我还是开始一点点重建生活。我开始邀请新朋友来用午餐，我讨厌一个人吃饭。接着，因为我对划船兴致十足，便和河鼠交了朋友，后来还认识了他的朋友鼹鼠。我发现别人也陆续邀请我加入他们的组织，或许只是因为我现在是蛤蟆庄园的主人，反正就这样，我成了村里的板球俱乐部主席和当地老兵协会主席。和父亲当年一样，我还入选了教区委员会，成为教堂管理员。

"父亲生前设立了蛤蟆庄园住房信托基金，为当地人提供住房。我也是托管人之一，每个月都要花几天几夜去开展和这有关的各种活动。渐渐地，我发现自己也拥有了公共事务和社会关系的人脉网络。"

"所以你觉得自己的生活比起过去更有意义了吗？"苍鹭问。

"有一点儿，可如果没什么事儿做时，那种熟悉的悲哀和孤独感又会回来，让我好几天都不好受。"

"那么你是怎么应对那种情绪的？"

"每次我都会找一件自己擅长的事情去做，我希望别人能看着我说：'看看蛤蟆，多棒啊！'我做的第一件事就是划船。我买了几艘漂亮的小船，开始刻苦地训练。我从没跟别人提过，我的志向是进入亨利赛艇会参加单人双桨钻石划船赛。可不知怎的，我的水平怎么都提高不了，连鸭子都嘲笑我。某天早上我睁开眼睛，心想：'算了，不划了！'我就再也没划过船，一直到前一阵才下水。那么多漂亮的小船摆在船坞里，就这么变成了烂木头。

"第二件事就是大篷车旅行。我在一本杂志里看到了几张照片，便买下了最好的大篷车。这车真是漂亮，全新吉卜赛大篷车，淡黄色的车身，配上红红绿绿的轮子，很惹眼。车子设施齐全，我现在都能记得清清楚楚，里面有上下床铺、一张靠墙的折叠小餐桌，炉子、衣柜、书架，甚至还有装着小鸟的笼子，另外还有各式各样的锅碗瓢盆。"回忆起那些美好的日子，蛤蟆的神情如在梦中。

"大篷车到了后的第二天，我的朋友河鼠带着鼹鼠来吃午饭，他们也愿意跟我踏上愉快的度假之旅。至少，我当时以为会是这样！"

"噢，老天，"蛤蟆叹息了一声，泪珠从脸颊上滚落，"我怎么知道最后会变成那样！起初一切都那么美好，那么激动人心，就像是暴风雨前的宁静。我们都变回了小孩子，至少我是这样，就好像诗人笔下的意境：'教堂的钟指向两点五十分，是否还有蜜糖伴午茶？'"他停了一下说，"然后，所有一切都不好了……"想到美好的旅行瞬间化为泡影，蛤蟆的话音渐渐没入抽泣声中。苍鹭依旧沉默着。

终于，蛤蟆擦去了眼泪，身体坐直了一些。他小声地对苍鹭说："我想后来发生的事情你都知道了吧？"

"是的，和别人一样，我也从《柳林风声》里读到了你的故事。恐怕你的那段经历会永远成为众所周知的轶事了。"他停了一下接着说，"我们今天就谈到这儿，好吗？我想你的人生故事已经叙述得很完整翔实了，这让我能更好地理解你，希望你也有这样的感觉。"

"是的，"蛤蟆高兴了一点儿，"老实说，苍鹭，我的故事很有趣，是不是？"

"非常有趣，"苍鹭回答，"但关键是，你能由此学到什么？"

问完这个问题，苍鹭结束了面谈，将蛤蟆送到了门口。蛤蟆正要离开时，苍鹭说："顺便问一下，蛤蟆，大篷车旅行出事后，笼子里的小鸟怎么样了？我一直很好奇。"

"鼹鼠把它带回家照顾了，到现在他还养着这只小鸟。好心肠的鼹鼠。"说完，蛤蟆穿过过道，想到了他自己，他觉得自己大半辈子都像那只可怜的笼中鸟一样。他会从过去的人生里挣脱出来找到自由吗？他知道苍鹭会怎么回应他。苍鹭会说："这是个好问题，蛤蟆。你的答案是什么？"真让人恼火！不过，走在回家的路上，蛤蟆已经开始思考问题的答案了。

第十三章

人生坐标与心理游戏

能像讲故事那样向苍鹭叙述自己的过往，对蛤蟆的影响比他愿意承认的更大。将自己的经历告诉别人，而不会因此被嘲笑或排斥，是多么大的慰藉。无论好坏，这就是蛤蟆的人生，他既不是伟大的圣人，也并非十恶不赦的罪人，他就是他自己。最让蛤蟆高兴的是，苍鹭倾听的样子看起来是真的感兴趣。

在叙述中，蛤蟆有机会全面回顾他的人生。他开始意识到，某些人、某些事件，在很长的时间里都是怎样影响着他。他看到自己倾向于怎样行事，也看到一个事件是怎样引发另一个事件。以往，当他回忆过去时，那些发生过的事件都只是孤立的闪回，无法拼凑在一起。偶尔他能在回忆里思考长一点儿的片段，比如入狱的日子，可随后他便急着赶走不愉快的想法，去想别的事儿了。

但现在，他渐渐获得了一种能力，让他在回忆时不再谴责自己。他能找到事件之间的联系，能客观地去看，而不再感到内疚。慢慢地，他开始理解为什么有些事情会以那样的方式发生，以及它会带来怎样的影响。换句话说，蛤蟆在反思自己的所作所为，并从中学习领悟。

当他用战略的眼光审视人生时，发现从苍鹭那儿学到的某些想法对他帮助极大。比方说，把生活比作舞台并不新鲜，可或许他有专属自己的"人生剧本"，一有机会就出演，这个想法让他耳目一新。蛤蟆甚至不安地想到，也许正是他在无意识中一手策划了各种情境，好让自己的剧本时不时上演。甚至，这是否意味着在他的潜意识（这个词不再让他尴尬）里，关于他人生的"故事情节"早已布局好，一股未知的力量正将他推向某个特定的结局？

苍鹭说过"这些想法里存在着真相"，果真如此的话，那么蛤蟆在出演一个怎样的剧本呢？有时他看起来像是在演喜剧，饰演的是众人嘲讽讥笑的对象，无论他怎样尝试，都无法改写剧本。但最近他开始意识到，也许还有另一种活法，无须跟着预先设定的剧本走，甚至可以没有剧本，或者说，可以即兴发挥。不过，这会让人感到害怕，没了剧本，你怎么知道该做什么或说什么呢？剧本至少能让你不用思考，不用为自己做决定。没了剧本，说完"你好"后，要说什么呢？

可反过来，想到每一个全新的时刻都意味着独一无二的机会和挑战，又让人无比激动。蛤蟆认定，所谓活得真实，就是真诚地回应当下的需求。这能打破从童年延续而来的因果循环，让真实的自我摆脱过去经历的束缚，在自由中成为真正的自己。他决定要让自己活得更真实一点儿。

咨询面谈的前一晚，蛤蟆做了个让他心神不宁的梦。他梦见自己穿着骑摩托车时的旧行头，戴着护目镜和长手套，坐在一架飞机上。他是敞开式驾驶舱的后座乘客，飞行员坐在他前面。突然，飞行员转过头对他咧嘴笑，血盆大口，面目狰狞。原来是獾！"你得靠自己了，小蛤蟆。"獾大喊一声，跳出机舱，蛤蟆看到他打开了降落伞。

从没开过飞机的蛤蟆惊恐万分，但不知怎么他竟然设法让飞机着陆了。他爬出机舱往空地上跑，正在此时，飞机突然爆炸，烧成了一团火球。蛤蟆被吓醒了，浑身湿透，惊魂未定，可同时他却感到一阵兴奋，因为他居然能一个人驾驶飞机降落，还死里逃生了。

第二天，蛤蟆去找苍鹭面谈。聊了几句后，他告诉苍鹭，在他回顾人生经历时，会联想起从前几次面谈中领悟到的想法。

"所以你看，苍鹭，我现在可以把我的人生连成一个整体来看了，还能思考我的剧本，还有我经历过的剧情。可我还是不太明白，这些都是从哪儿来的？有没有办法让我了解我的人生剧本是怎么写出来的？因为我不太喜欢我在剧本里的角色，到目前为止，这出剧我也演得不怎么开心。要是知道剧本是怎么来的，也许我就能改写它。我还是更喜欢结局圆满的戏剧。"

苍鹭微笑着说："我明白你的意思，蛤蟆。人生的剧情若能避开'残暴命运如投石飞箭般的摧残'[1]，该多好。我们在之后可以探究一下怎样应对那样的状况。不过，我理解你的意思是说，你想探索你的基本态度和行为源自哪里，对吗？"

"完全正确。但我不确定该怎么进一步思考。"

"好，如果我告诉你，想要理解你的现在，就必须回顾你的过去，你应该不会觉得意外。实际上，我们得回顾你生命最早期的阶段，从出生到大约四五岁的时候，发生的一切都对你影响重大，还影响了你后来的成长，牵涉到你怎样看待自己和别人。这种影响是普遍存在的。就这样，你形成了

---

1   出自莎士比亚的戏剧《哈姆雷特》。

对这个世界特有的看法，对你而言，这就是你看待事情的唯一方式。从那时起，你就生活在自己的世界里，用同一个视角看待一切事物。"

蛤蟆想了一会儿说："你是说，就好像一个天文学家从某个特定的角度看宇宙，仅仅从这一个局限的视角里得出所有的观点和计算结果？"

"正是如此，"苍鹭说，"只不过我们现在讲的是你个人世界的心理视角，这个视角在你心里深藏不露，可以说，是来自你灵魂的深度。"

"那么，我看到了什么？"

"每个人的早年经历本质上是不同的，所以每个人看到的都是一个不同的世界。有时候，人们看到的世界如此不同，连信念和预设都不尽相同，最严重的时候，这些人在之后的人生里只能经过流血冲突才能达成和解。"

"我不明白，我们肯定都生活在同一个地球上啊，不可能有那么大的差异，对不对？"

"其实你知道这是可能的，对吗，蛤蟆？比方说吧，拿你的童年和巴西贫民窟里长大的孩子比。或者更直白一点儿，一个同样出生在英国的孩子，家境比你要差很多，但被家人更疼爱、更宝贝。"

听了苍鹭的话，蛤蟆的眼里闪着点点泪光。

"这三个孩子会各自形成对世界的独特看法，每个人的看法都很不一样。是不是这样？"

"是的，我懂了。比方说，如果我们都给自己童年的某一天拍照的话，每个人的照片都会非常不同，是吗？"

"是的，很不同。不过要记住，我们说的不只是物理世界，而是你内在的、包含着情绪和情感的心理世界，那是通过你早年的经历而形成的。童年的经历如此强大、如此鲜活，于是便塑造了每个孩子对世界的独特看法。换句话说，外面的世界变成了在我这里的世界。"苍鹭边说，边拍了拍胸口的位置。"无论你对生活形成了怎样的态度，从此你的行为和幸福感都会受到影响，往后余生都会如此。除非——"此时，苍鹭直视着蛤蟆，"你决心要改变。"

"噢，得了，"蛤蟆说，"我的整个人生不可能都照着早年经验来吧？我是说，那时我还那么小，人生才刚开始，而之后又发生了很多事情，比如后来遭遇的让我激动又害怕的历险，那些事情对我也有很深刻的影响啊。"

"恐怕没有别的办法。每一个生命一定都得经历开始、中间和结束这三个阶段，而开始的阶段会显著地影响后来的阶段。因此你对世界的看法是在人生的最初阶段里形成的。"

"我还是不太清楚你说的'对世界的看法'，你能更准确地解释一下吗？"

　　"可以。比如在你童年时，大约四到五岁左右，你会试图回答两个问题。"

　　"哪两个问题？"蛤蟆狐疑地问。

　　"第一个问题是：'我是怎么看自己的？我好吗？'第二个问题是：'我是怎么看别人的？他们好吗？'"

　　沉默中，蛤蟆思忖着这两个存在主义式的问题。终于，他问："是谁在问我？"

　　"是生命本身，特别是你体验到的生命。"

　　"那'好'到底怎么定义呢？"

　　"'好'可以指任何一种具体的好，'不好'可以指任何一种具体的坏。"

　　"那么，我会怎么回答呢？我也许会用'好'回答一个问题，而用'不好'回答另一个问题。"

　　"对，因为你既可以说'好'，也可以说'不好'，就会出现四种组合。我把它们写出来。"苍鹭说着，便走到挂纸板前，拿起蜡笔写了以下四行文字：

1. 我好；你也好。

2. 我好；你不好。

3. 我不好；你好。

4. 我不好；你也不好。

"你能理解吗，蛤蟆？"苍鹭问。

蛤蟆看上去不太确定。"我不太明白你的意思，"他一脸不解，"你能说得再清楚一点儿吗？"

"或许我画个图能帮助你理解。"苍鹭接着画了以下这个图：

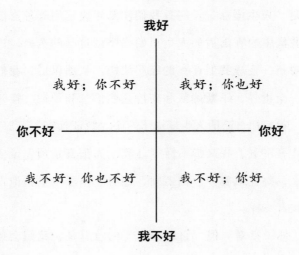

苍鹭接着说："这是一个坐标图，上面有四个'人生坐标'，就是我刚才所描述的四种情况。我们现在要做的就是探究并梳理出这四种情况的含义。"

"可这为什么就那么重要呢？"蛤蟆不耐烦地说。他在位子上扭来扭去，是在明确表示他想质疑苍鹭说的话。"我看不出你是怎么知道这些是不是真的，即使是真的，和现在又有什么关系呢？毕竟，我接受其中一个所谓'坐标'的时候才三四岁，而现在我已经……"他停了一下，"现在我早已成年了，那和现在的我没什么相干了。"很有意思的是，蛤蟆从来不说他的确切年龄，苍鹭也一直不知道。

"亲爱的蛤蟆，"苍鹭耐心地回答，"一切的关键就在于那是'人生坐标'。一旦我们在童年决定用哪种态度和观点，我们就会在随后的人生里始终坚持自己的选择。这些态度和观点，变成我们存在的底层架构。从那以后，我们便建构出一个世界，不断确认和支持这些信念和预期。换一个词来说，我们把自己的人生变成了一个'自证预言'。"

"等一下，我又听不懂了。我以为预言是预先说出会发生什么，好比以赛亚、何西阿，还有《圣经》里其他古老先知的预言一样。"

"你说得对。但'自证预言'的意思是，我们会控制事件的发生，从而确保预言会成真。我们会确保自己的世界和预期的一样。"

"好吧，可我们到底是怎么做的呢？"蛤蟆有些吃惊地问，"我们并不知道未来会发生什么，所以我看不出我们是怎么影响未来的。即使再有把握，都永远不能预知下一刻会发生什么。"蛤蟆数年来参加赛马大会的经验就是证明。

"我想，在这里引入一个新的概念会对你有帮助。"不等蛤蟆回答，苍鹭便走到挂纸板前写下了"必然后果"这个词。

蛤蟆眉头紧蹙，思索着："你能举例说明吗？"

"当然可以。"苍鹭回答，"比如，喝酒过量的必然后果是什么？"

"我想是喝醉吧。"蛤蟆偶尔也会喝多的。

"还有呢？"

"第二天感觉很糟糕，那种宿醉的感觉。你说的是这个意思吗？"

"对，很准确，这些都是喝醉的必然后果。所以你也可以说这是决定未来的一种方式。假如你认为生活让你不快乐，不善待你，那么今天喝醉就是你用的某种方法，它可以印证明天你会感觉悲惨的预期。换句话说，你创造了一个'自证预言'。"

"可是，和朋友们喝几杯第二天头重脚轻，肯定用不着这么一本正经地解释一通，对吧？"

"当然了，我说的是一种长期重复的行为，这种行为可能持续一辈子，这类行为就被称为游戏。实际上，刚才说的这种游戏叫'酗酒'。"

"游戏！"蛤蟆惊呼，"这听上去可不像个游戏。"

"这是心理游戏，"苍鹭回答，"有本很出名的书叫《人间游戏》[1]，命名并描述了一百种心理游戏，'酗酒'是其中的一种。玩这类游戏的必然后果是，玩家最终会产生糟糕的、不快乐的情绪。"

"你能再举一个游戏的例子吗？"

"举例子很容易，不过在这之前，我需要你回答一个问题。接下来，我们必须探讨的最重要的问题是什么？"

蛤蟆试图思考，但问题来得太快，让他摸不着头脑。"等一下，"他说，"我不太明白你的意思。"

"噢，行啦，蛤蟆，我可没有一整天的时间等你，"苍鹭不耐烦地说，"答案已经很明显啦。想一想，老弟，想一想！"

蛤蟆感觉仿佛重返学校，被老师提问，却不知道答案。

1　*Games People Play*，美国心理学家艾瑞克·伯恩的著作。

"噢，你这呆子，你都没仔细听我前面的话吗？"

蛤蟆含糊地说他不太明白问题的意思，正在此时，苍鹭突然笑了起来。

"好了，蛤蟆，你喜欢这个游戏吗？"

蛤蟆一脸愠怒："你这么冷不丁地问我那种问题，很不公平。我不知道该说什么，你让我觉得自己像个傻子。"

"很抱歉，但这就是一种游戏。"

"真的吗？"蛤蟆依旧气鼓鼓地说，"希望你明白我一点儿都不喜欢这个游戏。这所谓的游戏叫什么名字？"

"名字叫'猜猜我在想什么'。很多年来，老师一直对学生玩这个游戏，老师当然是赢家了。学生肯定觉得自己很蠢，就像你之前一样，而老师赢了无知的学生，就能获得优越感。不得不说，我真没想到你还是个挺强的对手。不过，我的意思你应该清楚了。"

"所以你说的肯定不是'快乐的游戏'，对吧？"蛤蟆说，"而是'恶意的游戏'。"

"确实如此。这类游戏的发起基本上都不是出于真诚，不像正常游戏那样只是让人觉得兴奋好玩，而是会产生非常戏剧化的结果。表面看起来实事求是，其实真正的意图却并不正大光明。游戏体现在两个层面：在社交层面上，似乎一切都是公开诚实的。而游戏玩家的真正动机却隐藏在心理层面，同时也隐藏着欺骗。至于游戏的必然后果呢，全都是让人产生负面情绪。"

一阵长久的沉寂。蛤蟆感到非常疲惫。一方面，他努力想要在理性层面上理解这些理念，可在更深的潜意识层面，它们却也触动了他的自我，让他情绪混乱。他想一个人静静地让这些理念慢慢渗透，让思绪跟随到该去的地方。他不知道会探索到哪里，但肯定是去往成长的方向。

苍鹭见蛤蟆沉浸在内省中，便说："我想时间该到了。"于是今天的面谈到此结束。

正要离开的一刻，蛤蟆转身对苍鹭说："我感觉有些困惑。我知道，这些关于游戏和人生坐标的理念非常重要，不过我需要时间进一步探索。我觉得你绕开了关键问题，所以我没有真正理解所有的内容。"

"你说得很对，"苍鹭回答，"这些理念既重要又难懂，我们还只是刚刚触及。我们用下一次面谈来更详尽地探讨它们，特别是心理游戏，好吗？"

"谢谢你，"蛤蟆回答，"这正合我意。下周见。"说完他便离开了。

第十四章

赢了游戏，输了自己

这一次面谈一开始，苍鹭就说："对你最有帮助的，是认识到人们玩的心理游戏和他们的人生坐标之间的关联。你还记得人生坐标吧，蛤蟆？"

"记得很清楚。"蛤蟆说着，便走到墙上的挂纸板前，翻出了苍鹭上周画的图。

"很好，在这个图里，你能很清晰地看到四个人生坐标，每一个都代表了各自所属的象限。我的提议是，我们依次去看每一个人生坐标，然后理解人们可能会玩哪种心理游戏。你觉得这个方法如何？"

"很好，我觉得可以。"蛤蟆答道，"我们从哪一个坐标开始，可以让我选吗？"

"当然可以，你选哪一个？"

蛤蟆翻开一页新的纸，写上"我不好；你好"。接着对苍鹭说："这到底是什么意思呢？"

"这代表了一个人的行为态度，这类人认为自己很差劲，别人都比他好。"

"好在哪儿？"

"几乎在任何方面。低自尊的人通常觉得生活对他们不好，却更善待别人。概括地说，处在这个坐标的人认为自己是生活的受害者，所以他们就玩那些会把他们变成受害者的游戏。"

"比方说呢？"

"'我真不幸。'"

"你说什么？"蛤蟆有些吃惊。

"这是游戏的名字。玩这个游戏的人确信他们是不幸的，会随时给你报出一长串遭遇过的不幸事件。比如，有些人会把不幸的原因怪到住房上，甚至怪地理位置不好，他们会想到所有和霉运相关的迷信传言，比如摔碎了镜子或打翻了盐之类的。"

"但我们确实可能会运气不好，不是吗？"蛤蟆问，"举个例子，我这辈子都没中过彩票，我想我有生之年也不会中。"

"我说的是更严重的情况，有些人会竭尽所能地选择记住那些悲伤和不快乐的事件，而忘记或忽略美好的时光。"

"这种活法看起来很容易让人抑郁。"蛤蟆说。

"你的评论很有洞察力，"苍鹭回应道，"因为玩这个游戏的人确实会抑郁。他们认为自己的人生被不好的力量影响，无法掌控人生，这让他们焦虑，觉得自己不够好。"

"还有其他的游戏吗？"蛤蟆停了一下后问。

"PLOM。"

"噢，这个我记得，"蛤蟆立刻说，"意思是'可怜弱小的我'，有一次面谈你怪我玩了这个游戏！"

"是的，我之前提过，不过我不是在怪你玩游戏。我的目的不是责怪你，而是帮助你看到你在玩什么样的游戏，这样你才可以就此打住。"

"你真的觉得我在玩这个游戏？"蛤蟆问。

"你觉得呢？我们咨询的一开始，你确实在用自怜猛烈地攻击自己，不是吗？"

"是的，你说得很对。我确实觉得每个人都在找我的茬儿，尤其是在我历经冒险后刚回来时，大家都那么苛刻地对待我。那时我确实感到抑郁，觉得自己不够好。不论我做什么，我都希望得到别人的爱。"

“这又是另外一个游戏了。”苍鹭说。

“什么游戏？”

“‘不论我做什么都要爱我’。有些人生活一团糟，或者有意无意惹上麻烦，就是想看看别人能宽容他们到什么程度，什么时候会排斥他们。接着他们就会说：‘我早说过你会这样对我，证明我是真的很差劲很愚蠢。’”

“在我看来这些游戏很危险，因为如果你尊重或你爱的人放弃你，你肯定会觉得痛苦，孤零零一个人。”

“我同意。你现在开始明白这些游戏有多危险了，它们会严重伤害你的健康。”

两人停了下来，同时陷入深思。

过了一会儿，苍鹭问：“蛤蟆，你认为一个觉得自己‘不好’的人最极端的行为会是什么？”

蛤蟆轻轻地说：“我猜是，自杀？”

“是的。当然，我并不是说所有觉得自己‘不好’的人都会去自杀。但你知道吗？在英国，自杀是年轻人最主要的死因之一。”

“我不知道，”蛤蟆回答，“不过我信。我经历过那种状况，非常凄凉，也很可怕。”他静静坐着，回想着他曾经距离深渊近在咫尺。过了一会儿，苍鹭开口了。

"你认为人们在玩这些受害者游戏时，处在怎样的'自我状态'？"

"悲伤的儿童状态，我猜。"蛤蟆答道。随后他更有力量地说："不，我应该更肯定一些，一定是悲伤的儿童状态。这是我的经验之谈，我知道。"随后，他又沉默了。

半晌后，苍鹭问："我们要不要看一看另一个人生坐标？"他写下了"我好；你不好"。"你理解这个坐标的意思吗，蛤蟆？"

"我想是的。这描述的是觉得自己比别人好的那一类人。我想他们会玩游戏去证实这一点，对吗？"

"是的，确实如此。这类游戏通常能让玩家感到愤怒，或者至少能让他们对别人评头论足。处于这个心理坐标的人常常会占据权力和权威的制高点，这样就能玩他们的游戏了。"苍鹭在纸上写了"NIGYYSOB"[1]。

"那到底是什么意思？"

"这个游戏的首字母缩写，意思是'我抓到你了，你个坏蛋'。"

"这名字真难听。"蛤蟆对语言规范还是很在意的。

1　　原文为"Now I've Got You, You Son of Bitch."

"是的，这游戏也很丑恶。"

"怎么说？"

"这是人们经常在工作场合玩的游戏。首先，有个人犯了错，可以想象，这种情况很常见。然后上司发现了，把犯错的下属叫进来好一顿训斥，小题大做，对下属大声咆哮。所以你看，这种游戏能让愤怒的人找到看似正当的理由来发火，借此证实'我好；你不好'的人生坐标。他们会证明别人根本上都是无能而不可信的，接下来，他们会把斥责和惩罚别人视为己任。他们会说：'要不然，那帮人会觉得犯了错还能侥幸逃脱！'"

"嘿哟！"蛤蟆喊了一声，"我同情这游戏里被训斥惩罚的每一个人，让我想起我小时候还有长大后，父亲是怎么对我的，我记得一清二楚。现在我明白了，'NIGYYSOB'就是他最爱玩的游戏之一。"

"很不幸，这种游戏似乎越来越常见，尤其是在机构组织里，权威人士很容易把自己想象成严厉的父母，把员工当成顽劣的孩子来惩罚。新闻报道里似乎也充斥着霸凌的案例。在你的案例里，你当然更是求助无门。"

苍鹭接着说："处在'我好；你不好'坐标上的人还会玩其他游戏，你或许也能看出来。比方说，'你为什么总让我失望？'"

"老天啊，还是我父亲，他总说这句话。"

"或者说，总玩这个游戏。"苍鹭插话。

"是的，他经常对我玩这一套，而且总能起效，最后都让我自卑或自责。我猜，这样他就能证实他对我的看法——我一无是处，而他高人一等。你觉得是这样吗，苍鹭？"

"恐怕确实如此。这会加强他的道德优越感，而且常常和另一个游戏一起玩，那就是'你怎么敢！'"

"看上去好像在这个坐标的人总需要攻击或者谴责别人。"

"完全正确。这些施虐者利用任何时机来制造一些能让他们评判和惩罚别人的情境。是他们内心的施虐者让他们这么做，可内心的施虐者是谁呢，这是个有意思的问题。"苍鹭停顿了一下，又问，"一个处在'我好；你不好'坐标的人，你觉得他最极端的行为会是什么？"

蛤蟆想了一下，说："我猜，是谋杀。"

"对。好在只有少数人会那么极端。不过，你会听到有人这么说老板：'给他打工快把小命丢了！'他们确实这么觉得。"

"照这么推测，在这个坐标上玩游戏的人都处在'父母状态'？"蛤蟆若有所思地说。

"而且永远都是'挑剔型父母状态'。这些人动不动就指责，焦虑得随时会发脾气，还想用不可能达到的标准来评判别人。当然了，有时候他们会摆出'养育型父母'的姿态，说些诸如'我比你更心痛'或'我是为你好'之类的话，但大部分人都能听出这是虚情假意。不过，关于这类人的心理状态，还有一个有意思的现象，那就是他们从来不会抑郁。"

"为什么呢？"蛤蟆有些吃惊。

"因为愤怒能够非常有效地抵抗抑郁。愤怒的人从不觉得内疚，因为他们总在怪罪别人。他们自卫的方式，是把自己内在的恐惧对外投射到别人身上，这样就能把对自己的怒火转向别人。"

蛤蟆的神情有些困惑，于是苍鹭说："我来举例说明。假如，处在'我好；你不好'坐标上的一个人预订了一辆出租车，可车没来。这时候他会有什么感受？"

"他可能会非常生气。我能想象，如果是獾，他会大发雷霆，在电话里跟出租车公司玩'我抓到你了，你个混蛋'的游戏。"

"正是这样。这一次设想类似的情形，只不过这个人处在'我不好；你好'的坐标上，他会是什么感受？"

蛤蟆设想了一下这个新状况，他并不太喜欢自己想象的结果。"他不会生气，这是肯定的。但在这之后，我不知道他会怎么做。"

苍鹭接着说："设想这个人是你，蛤蟆，你遇到了这种情况。你等的出租车没来接你，你是什么感觉？"

蛤蟆思考了一会儿，说："我想我会觉得悲伤，想知道司机为什么忘记来接我。我或许会想，他接到的其他订单更紧急，而我是最不重要的乘客。"他停了一下，接着说："我甚至会自责，认为兴许是我没把事情安排妥当。"

"所以你能看到区别吗？"

"能，我当然能。"蛤蟆的语气有些激动，"所以我应该从中得出什么启发来？难道要我像獾一样发火，直说我对他们有看法，对着他们大喊大叫？你觉得这就是我应该做的？"他停顿了一下，直视着苍鹭说："我猜你认为我是'不好'的，我完全就是个废物，是不是？"

"不，当然不是。这些理念不是用来给人贴标签，攻击羞辱别人的。它们只是用来理解行为的方法，尤其是理解我们自己的行为。"

"你的话听着是在防御，我可没攻击你。但不得不说，此时此刻，我对你很生气，而且已经有一阵了，现在我要把火都发出来。"

苍鹭努力掩饰，却还是面露惊讶。

蛤蟆继续说道："你好像总要让我承认错误和失败，可你从没直说你是怎么看我的。一直以来你都在说：'你怎么看，蛤蟆？你感觉怎么样，蛤蟆？'你从来不告诉我你是怎么看我的，难道你不是资质合格的咨询师吗？我都搞不懂那是什么意思。有时候，你那样子就像我父亲。好吧，我想我受够了！"他坐在椅子上，与苍鹭直接对峙。

咨询室里鸦雀无声。终于，苍鹭开口说："那么，对此你打算怎么做呢？"

蛤蟆几乎要爆发了："你又来了，又在问问题。告诉你，我受够了你一堆该死的问题。"他盯着苍鹭，仿佛在挑战苍鹭，看他敢不敢答话。他能感觉心脏有力地搏动着，却没有心慌。他发现虽然自己是真的生气，却完全没有失控。他还意识到自己做了一件意义重大的事情，某种程度上同苍鹭及他自己的父亲都有关，尽管他还没完全搞懂是什么。

实话说，蛤蟆对刚才的所作所为感到有些害怕。他不仅仅是言辞粗鲁，还顶撞了苍鹭，从某种程度上说，是把苍鹭打倒在地，而这不知怎么又和他父亲有关系。他突然感到再也不用扮演那个卑躬屈膝的角色了，他可以说自己想说的话，还能说得掷地有声。虽然他明白，这么做免不了会引发新的状况，需要他来面对和处理。比如，此刻他得怎么面对苍鹭？

　　终于，蛤蟆开口说："对不起，但我不是在道歉。我一直想对你说那番话，看来刚才找对了时机。你能理解吗？"

　　"我想是的。你要获得谅解吗？"

　　"我不要，我坚持之前说过的话。不过我想，我们的咨询到这里也该结束了？"

　　"我想是的，不过考虑再三之后，我觉得我们可以再面谈一次。"

　　"为什么？我真的觉得现在我们该做的都完成了。"

　　"是的，完成了，但不完整。有两个原因让我觉得我们应该再面谈一次。第一，我希望你有机会回顾在此学到的东西，还有你打算怎么运用你的所学。也就是说，你打算做哪些改变？"

　　"好，这我同意，"蛤蟆说，"那第二个原因呢？"

　　"第二，我们之间似乎形成了一种新的关系，我认为我们应当在这个新关系里合作，来尝试理解发生了什么。"

　　"我同意，"蛤蟆又补充了一句，"谢谢你，苍鹭。"

　　随后，他们有些正式地握了握手。

第十五章
最后一次面谈

蛤蟆回家后做的第一件事便是翻看日志。在很长时间里，日志本上除了和苍鹭定期面谈的记录，几乎了无痕迹。但近来他的社交生活逐渐恢复，记录也就多了起来。

　　在他深陷抑郁而鼹鼠还没去找他的那个阶段，蛤蟆有一阵感觉到了最可怕的空虚状态。时间在他面前蔓延，如同没有路标也没有尽头的沙漠，每天的生活只剩空虚，人生的意义无处可寻。他靠每天散步迫使自己的生活有一些规律，而咨询面谈至少让他在一周又一周的浑浑噩噩里有事可做。

　　慢慢地，随着他心情变好，事情也开始出现转机。他内心世界的改善，似乎在逐步恢复的社交生活上反映了出来。就比如上周，他参加了河岸板球俱乐部的周年大会，会上一致同意由他再次担任俱乐部主席。大家都过来和他打招呼，还说见到他精神恢复得那么好真是太高兴了。他们还送给他一个新领结，是柠檬绿、淡紫红和巧克力色拼接的颜色，显得很高级，让他又惊又喜。当他用新领结换下旧的时，大家都欢呼起来，所有这些都让他感到特别温暖。他想起来夏天就要到了，每周六都会有板球比赛，于是马上在日志本上添上这些安排。荒芜的沙漠就要再度开出鲜花了。

蛤蟆在翻阅日志时又看到一条让他翘首以盼的记录——几周后在红狮酒店的午餐之约。他昨天刚刚收到河鼠的邀请函，请他去参加一个"欢庆宴"。他不确定要庆祝什么，就打电话问河鼠。而他完全没想到，河鼠的回答竟然是："当然是庆祝你的康复啦，到时我们全都来！"

但日志本里最能证明蛤蟆态度转变的，大概就是"我的新企业"这一条。从前的蛤蟆和工作总是格格不入，主要是因为童年的他害怕要在酿酒厂为父亲工作。但与苍鹭的面谈让他反思，让他明白要继续成长和完善就得有目标，而要实现目标就必须好好工作。长久以来，富足的生活削弱了他求职的动力，让他内心的力量和才智流失，变得绵软无力，好比一个运动员终止了训练。不过，如今他的感受全然不同了，当下他想做的就是去拼、去赢！

蛤蟆仔细地一一规划未来。在此过程中他见了两个过去相识的熟人，这两人目前都在市里工作。他还和负责打理家族资产的银行家会晤，也是头一次细细查看账目，才了解到蛤蟆庄园和附带地产的经济状况非常严峻。所有这些对蛤蟆都是种鞭策，让他思考真正要做什么，有个主意在他脑中慢慢成形：他要自己创业！

苍鹭打来电话推迟面谈时，蛤蟆有些吃惊，却并不担忧。苍鹭向他道歉，并提议把时间改到三周后的某一天。其实这正合蛤蟆心意，因为他又安排了很多会晤，要商量新公司的事，需要更多时间。最后他和苍鹭约好，在和朋友们约定午餐的那天上午面谈。他把这个新安排写入日志时，在这两条上都画了圈，表示这两件事对他很重要。

到了这一天，天刚蒙蒙亮，蛤蟆便早早醒来，躺在床上想着和苍鹭最后一次面谈会发生什么。他有些忧虑，其实他不知道，苍鹭也一样。三周前的那次面谈把他们带入一个两人都不甚了解的奇怪局面。蛤蟆知道他生苍鹭的气，却也知道自己并没有失控发脾气。苍鹭知道蛤蟆与他的对抗是有意义的，蛤蟆已经不再是个叛逆的小孩。反正就是这样，上次面谈是有成果、有建设性的，也由此改变了两人的关系。可是，谁也不清楚接下来的面谈会发生什么。

吃过早饭后，蛤蟆见天气晴朗，便决定骑自行车出门，很快他便骑行在通往苍鹭小筑的乡间小路上。他把车倚靠在墙边，走到门前，最后一次按下门铃，等待苍鹭来开门。两人很正式地问候彼此，在各自的位子上坐下来。

"蛤蟆，这是我们最后一次面谈了。"苍鹭说。

"是的，"蛤蟆回答，"以后不用再来这里，我倒会感觉不习惯了。"

"你知道我们一共面谈了几次吗？"

"实际上我还真知道。我看过日志本，不算糟糕的初次见面，我们一共面谈了十次，感觉上却不止十次。"

"是吗？从你第一次来这儿一直到现在，确实感觉过了很久。当时我问你是什么感受，你还记得你怎么说的吗？"

"记得很清楚，我哭了，还在你的'情绪温度计'上打了1分还是2分。"

"嗯，现在的你明显多了许多神采。第一次面谈时你看着很沮丧，而现在却显得头脑机敏、心情愉悦。"

蛤蟆看上去确实神清气爽，两颊变红润了，大眼睛也清澈明亮。他身着新买的格纹西装，与胸前的新领结十分相称。

"那么，现在你感觉怎么样？"苍鹭问道。

"我正在想你打算什么时候问我这句话呢。"蛤蟆微笑着说，"我确实感觉好很多，食欲回来了，睡眠也正常了。

你知道，有一阵我睡得特别不踏实，醒得又很早。为什么会那样呢？"

"很难给出确切原因，但那是公认的抑郁症状之一。我认为和你内心的恐惧有关。当你有恐惧感时，焦虑的念头就会跑到你的意识层面，让你没办法放松。就好像它们在你心里拉响警报，告诉你大事不好了，希望你能做点儿什么。"

蛤蟆思考了一会儿，说："大概是这样。不过我现在精力充沛了好多，不仅是体力，还有心力。有一阵我对什么都没兴趣，好像做什么都没力气。你知道的，我几乎读不了报纸。可现在完全不一样啦，我已经在着手规划将来了。我说的可不是光有个愿景，像新年许愿什么的，而是真正的规划，有细节、有日程、有行动。"

"很好。所以这一切让你感觉怎么样？"

"呃，我知道听上去有些俗套，可我的感觉就是很快乐。其实我对每一天都有期待，因为每一天都充满了让人激动的新的可能。而不久之前，一切在我眼里还都是毫无意义的。我真的变了，是吗？"

"确实是这样。那么，在'情绪温度计'上，你会打几分？"

蛤蟆马上答道："今天我给自己打9分，其实可以打10分，但我想给未来留些余地，或许事情会变得更好。"

"那么，你对别人是什么感觉？"苍鹭问。

"这个问题很有意思。我们第一次见面时，我对朋友们毫无兴趣，也不关心他们在做什么，那时他们在我眼里都是迫害我的人。但现在我早就没有那种感觉了，我对他们在做什么很感兴趣。"蛤蟆又说，"我希望他们也对我有兴趣。"他告诉苍鹭面谈后要赴午餐，还有他打算要宣布的事情。

"那么，你不再有自杀念头了？"苍鹭问得很直白。

"完全没有了。我觉得我比过去更能顺应生活了。可我不会忘记自己曾经是那么消沉，那段记忆会永远留在那儿，或许就是对我的提醒，告诉我，滑落到生活边缘的人生是什么样的。"蛤蟆说话的神情很庄重。

半晌后，苍鹭问："现在你会怎么描述自己？"

蛤蟆起身走到挂纸板前，翻到了画着"人生坐标"的那一页。

"我能说我处在'我好；你也好'的坐标上吗？"他问，"这么说感觉很冒失，但这就是我的感受。"

"这是个勇敢的选择。"苍鹭说。

"为什么说'勇敢'？"蛤蟆问，"我真的是这么觉得。"

"说'勇敢'是因为选择了这个人生坐标时，你不仅为当下做出了选择，还许下了一个承诺，终生的承诺。"

"到底是什么意思呢？"蛤蟆困惑不解。

"我的意思是，'我好；你也好'的人生坐标并非静止的状态，而是动态的过程。你不能说'好了，我终于到了'，好像登顶珠穆朗玛峰一样。你觉得自己是好的，也相信别人是好的，那就得靠行为和态度持续地对自己和别人展示出来。而这个选择肯定不能给你庇护，免于'残暴命运如投石飞箭般的摧残'。"

"我明白了。你是说'我好；你也好'其实是一种发自内心信念的行为。"

"是的。它非常接近于人本主义的信条：信自己，信他人，而不一定非要信神或超自然。"

"你把它说得那么郑重其事。"蛤蟆说道。

"如果'郑重其事'是指非常重要，那么我不否认。"

安静了一会儿后，蛤蟆开口说："我们的关系变了，你不觉得吗，苍鹭？不久前，要是你像刚才那样对我说话，我会觉得你在贬低我，因为我说了蠢话。但现在我能思考你说的，会想我是不是同意你的看法。这一定是种改变，不是吗？"

"是的。那么你觉得我们之间的关系发生变化，是因为我，还是因为你？"

"我知道正确答案是什么，"蛤蟆微笑着说，"我相信你希望我说是因为我发生了变化。我在很大程度上同意这种说法。我知道自己改变了，不再那么依赖你，还能挑战你的观点而不担心会被训斥。"他停顿了一下，又加了一句："不过我得说，我觉得你也变了。"

"哪个方面？"苍鹭问。

"你似乎不再那么教条和严苛了。有一阵，我总在你身上搜寻哪怕一丝一毫认可或不认可的神情。可我不得不承认，你通常总是无动于衷的样子，把情绪藏起来。"

停顿片刻后，苍鹭说："从你刚才说的来看，你会怎样描述我们在这几次面谈里的关系？"

"我不知道是不是你有意为之，很多时候我觉得我们的关系像父母和孩子。我常常想依赖你，也总希望能从你口中听到一些睿智的话，能给我答案。"

"那么有没有呢？"苍鹭问。

"没有，完全没有。"蛤蟆回答，"你当然教了我很多，对我非常有帮助，但你从没给过我答案。现在我明白了，你其实总在引导我回答自己的问题,引导我进入'成人自我状态'。"他停了一下，补充道："不过，最近我们的关系似乎变得轻松多了，尤其是从上次面谈开始。这好像已经是我成长之路的一大里程碑了。"

"你这么说非常有意思，因为我正在想，在我们的咨询合作过程中，你走过了一段重要的历程，我只能用一个词形容，那就是心理成长的过程。"

"怎么理解？"蛤蟆问。

"最初来这里时，你对人非常依赖，正如你自己形容的那样，像个孩子。你期望我来给你答案，你看我的眼神总像孩子寻求父母的认可。当然，我尽量不那么做，所以总是问：'你怎么看？你感觉怎么样？'我总把问题抛回给你，你对此很生气。"

"肯定呀！"蛤蟆的声音带着些情绪，"我之前总被你惹恼，之后的事儿你也知道，就在上一次面谈时，我的愤怒终于爆发了。"

"我知道。我现在能理解，那是你成长之路的重要一步。当时你表现得像个与父母对抗的青春期少年，你正面对抗我，意味着你情感的钟摆从依赖的一头甩到了对我发怒排斥的另一头。其实，你是在反抗你对我的依赖。"

"是吗？那为什么上次发怒对我很有意义？"

"因为你把对父亲的情感转移到我身上，这叫作'移情'。通过对我表达自己的想法，你终于也能对他表达了。你真正找到了力量和勇气，表现得像个男人，而不再是个男孩。那是个转折点，你成长了，也成年了，在你宣告对自己拥有主权的那刻起，你便能独立行事了。"

过了一会儿后，蛤蟆说："我懂了，你的意思是，在我们的咨询过程里，我从依赖变成了对抗依赖，然后最终走入了独立的状态。这么说对吗？"

"我想是这样的。在咨询过程中，我们不仅用头脑去思考，也用情感去体验。虽然你开始在理智上理解自己的行为，但要充分理解自我，唯有通过和自己的情绪做联结。当你对情绪的感受越来越清晰时，就能明白它们并非可有可无，也不会对它们不闻不问，因为情绪正是自我的核心。"

"我明白了。"蛤蟆若有所思，"你是说，上次冲你发完火后，我发生了改变，因为我的情绪真正得到了理解。"

"是这样的。你在情感层面做了努力，也就从中直接学到了该学的东西。无论何时，只要我们的情绪真正获得理解，就能有成长的机会。这就是真正在实践中学习。自出生开始，我们便是以这种方式学习任何一种重要的东西。"

"这听着和理智背道而驰啊，如果人们真是从情绪、情感中学习，那我们的中学和大学还有什么用呢？学校不正是教人用理智而非情感去学习吗？难道我们不用学习放下情绪去解决问题吗？"

"说得一点儿都没错。人们重视这些能力，也会努力提高自己的技术才能。比方说，眼下越来越多的管理人员在处理技术问题，那些技术问题相比过去要难得多。受教育的人也比以往任何时候都多，大学和商学院更是人满为患。智力与智商的世界欣欣向荣，我们从没像今天这样了解物理世界……"此时，苍鹭停了一下，然后平静地问，"可是情感智力，也就是情商的世界如何呢？我们对此了解多少？"

"我记得你之前提过一次，但那时我还不理解。情商真正的意思是什么？"

"意思是理解你内心的情感世界，并且还能掌控它。你也能看出来，这和智商完全不是一回事。"

"那么高情商的人是怎么样的？"蛤蟆问。

"概括而言，他们都有强大的自我意识，了解自己的情感。他们能管理情绪，能从悲伤和不幸中重新振作。但也许最重要的是，他们能控制冲动，也懂得延迟满足，从而避免轻率的决定和不妥的行为。"

"是这样啊，那我真是学到最后一分钟了。到目前为止，延迟满足这件事儿我还从没擅长过，所以才造成了种种麻烦。但希望经过咨询后，我的情商能提高一些。"他停顿片刻，说，"关于情商还有别的吗？"

"有。情商和理解别人有关，一个高情商的人能辨识他人的感受，这种技能称为'共情'。但也许情感智力中最大的技能是通过理解和回应对方的情感，与他人建立良好的关系。说到这里，我就要在面谈结束前再说最后一个要点。"

蛤蟆正襟危坐，全神贯注地聆听着。

"情感智力能让你在自我成长和完善的路上走得更远，因为它将带你从独立的个体走向共生的关系。"

"确切的意思是什么？"

"独立性隐含了做自己的自豪感，还包括独特的才能、与众不同的部分。独立的人时刻守护新发现的自主权，如同一个曾被殖民的国家重获自由一样。这当然没错，但共生性则体现出成熟和自我接纳，还包括求同存异地接纳他人。共生性可以让你在社交和工作上与别人有效联结，协同合作。"

"是的，我能听明白，但是……"

蛤蟆没能把话讲下去，因为苍鹭突然打断了他："蛤蟆，看看时间！我们拖了十五分钟。真抱歉，恐怕是因为我一直说个不停。我得道歉，因为我知道你在面谈后紧接着要赴另一个约。"

"没关系，"蛤蟆回答，"我真的很享受这次面谈，而且中午的聚会迟到一小会儿不要紧。"两人一同起身穿过走廊，蛤蟆从衣帽架上拿起外套穿在身上。

"噢，苍鹭，"他说，"我差点儿忘了。"他伸向口袋，摸出了一个用棕色纸包装的小盒子。"这是给你的，是个小小的'感恩'礼物。"

"你真是太客气了，"苍鹭说，"我现在能打开吗？"

"能啊，打开吧。只是个小物件。"蛤蟆答道。

苍鹭打开了盒子，里面是一只小而精致的木碗，明暗相间的纹理也被精心抛光过。

"我拿庄园里被风刮倒的胡桃树自己做的，"蛤蟆接着说，"我一直都喜欢把木头刨成各种形状。我想或许你会喜欢，就当是纪念我们一起合作的时光。"

"非常感谢你，"苍鹭说，"我会永远珍藏的，它会提醒我在与你合作时所学到的一切。"

"真的？"蛤蟆有些吃惊，"原来你也会学习，我还以为只有我学到了东西。"

"好吧，那你可就错了。在咨询中，学习一直是个双向的过程，只是彼此学到的东西不同。不过你可得走了，不然聚会真要迟到了。再见，蛤蟆。"

"再见，苍鹭。还有，谢谢你。"蛤蟆说完，便跨上自行车，向红狮酒店的方向骑去，再也没同苍鹭见过面。

第十六章
道别与新生

河鼠决定要用一顿午宴来纪念蛤蟆的康复。他说："人们太容易让重要的事件就这么过去，忘记关注或为它们庆祝，也许是因为我们通常都只在事后才明白它们有多重要。"

　　为什么选在红狮酒店庆祝，河鼠自有他的道理。红狮是一家老客栈，中间有个庭院，还有木质墙面的餐厅，侍者看着和这客栈岁数一样大，银须低垂，身着长长的白围裙，都快碰到开裂的黑皮鞋上了。

　　河鼠进酒店前就知道菜单是怎样的：布朗温莎汤、诺福克烤火鸡搭配小香肠、雪莉酒松糕，还有切达干酪和咖啡。他第一个到酒店，查看事先预订的私人包厢是否布置妥当。他惊喜地发现包厢看上去棒极了：桌子铺着上过浆的桌布，白得耀眼，还摆放了餐巾、闪亮的玻璃杯和沉甸甸的老式餐具。

河鼠仔细看着酒水单，不出意料，果然有几款上好的葡萄酒，价格也公道。他点了几瓶波尔多红酒，接着便去吧台那儿等朋友们来。他给自己要了一杯最爱的啤酒，名字叫"喔乐来"[1]，是"喔！欢乐起来！"[2]的缩写，意思正合适。河鼠倚着吧台，畅饮啤酒，感到无比满足。

蛤蟆第二个到，他感觉轻松自在，期盼着见到朋友们，告诉他们最近发生的一切。然而当他漫不经心地穿过庭院，把自行车停靠在酒店栏杆，摆弄完板球俱乐部的领结后，他忽然感觉双腿瘫软。因为他瞬间明白身处何地，与之相关的往事记忆也如洪水般将他吞没。原来就是那家红狮酒店啊，当年他从规劝他的朋友那儿逃出来，路过这家酒店就进去胡吃海喝了一通，接着（真可怕！几乎没法儿往下想）他偷走了一辆漂亮的汽车，然后锒铛入狱。

所幸这时河鼠出现在酒店门口，他体恤地说："你好啊，蛤蟆，怎么你脸色像撞鬼了一样。你到得最早，快进来吧，我请你喝一杯。"蛤蟆重新镇定下来，跟着河鼠去了吧台。最年长的侍者盯着蛤蟆看，向他投去探询的目光。但蛤

1　即 OBJ，英国啤酒品牌。
2　原文为"Oh Be Joyful！"

蟆也能直视他了，还让他挂好外套。

"来点儿什么？"河鼠问，"一杯苦啤？"

"可别，"蛤蟆回答，"你知道的，我一向喝白兰地加苏打水。"

"瞎说什么呢，蛤蟆，"河鼠带着几分锐气说，"我可记得你喝过好几回啤酒。"

"哪一回，说来听听？"蛤蟆也在练习他刚刚获得的自信。

所幸他俩的讨论还没变得过于激烈就中断了，因为另外两位朋友——鼹鼠与老獾——都到了，他俩是一同打车来的，老獾像往常一样又让鼹鼠掏了车钱。

"你好，獾。你好，鼹鼠。"

很快他们便聚拢在吧台前，欢快地聊起天来。

"河鼠，一起午餐的主意真好，"老獾和善地说，"做得好。"河鼠都以为獾大概要拍拍他脑袋了。蛤蟆则在和鼹鼠高谈阔论他那些夸张的经历，鼹鼠应和着："真的？""然后呢？"其实鼹鼠早就听过，他心里想的是待会儿的午餐。

这时，年老的侍者过来对河鼠说："午餐准备好了，先生，还请各位入座。"于是他们一一就座，很快就喝起汤、叉起火鸡肉，大方地往杯子里倒河鼠选的红酒佳酿。接着上了雪莉酒松糕，里面还真有些雪莉酒。

"真难得，"老獾说，"平时厨师最多用红酒木塞蹭点儿味道就得了。"

蛤蟆和鼹鼠又再要了一份，随后奶酪和咖啡也端了上来，大家都已喝到微醺，心满意足。蛤蟆正想从雪茄盒里抽出一支大雪茄来，却瞥见老獾严厉的眼神，只好把惹人厌的烟放回去，还拍拍口袋假装只是在找手帕。

"好了，"老獾朝大家和蔼地微笑，"你们目前都在做哪些计划呀？"

房间里鸦雀无声。小动物通常不会提前做计划，对他们来说，在四季更迭中按部就班，才能过得舒服，把忧虑都抛在脑后。改变会带来风险，风险会导致危险处境，危险意味着死亡的威胁。

不过，在经历过种种事情后，他们都从中了解了自己。改变早已发生，他们明白无论风险如何，都必须继续前行。他们都成长了，学会放下小孩子心性。所以每个人都做了计划，只不过到目前为止，还没来得及彼此分享。

"要不我先说？"一向爱打圆场的鼹鼠说道。大家异口同声地说好，于是鼹鼠接着说："我要回老家了，我打算把鼹鼠幽居改造成一家餐厅。"

河鼠完全不知情，脱口而出："可你根本不会做饭啊，你连鸡蛋都不会煮！"

"煮你个大头鬼，"鼹鼠嘟囔了一句，然后提高了音量说，"我又不去掌勺，我找了个很好的大厨。你还记得水獭的儿子小胖 [1] 吗？当年迷路被我们给找回来的小胖？人家现在成年了，他烧得一手好鱼，有如神助，甜点也做得可口，最拿手的是面包和黄油布丁。我们的餐厅即将开张，名字就叫'加里波第' [2]。"

"我现在想起来了，"河鼠说，"我只去过你家一回，但我记得那是个温暖舒适的蜗居，你在花园里放了加里波第的半身像。"

鼹鼠露出愉快的笑容："鼠儿，我真高兴你还记得。那你还记得花园里别的东西吗？用扇贝壳镶边的金鱼池塘，还有把东西都照变形的镀银玻璃球，还有印象吗？餐厅就设在那儿。水獭准备投钱，做我的合伙人，我是餐厅经理，小胖是主厨。"

"干得好，鼹鼠。"老獾说，"我会经常照顾你生意的。我是个吃货，真的。"獾有时候说起话来也俗气得很。

1　见《柳林风声》中的情节：河鼠和鼹鼠一起找回了水獭夫妇的儿子小胖。
2　朱佩塞·加里波第是意大利历史上著名的爱国将领。

"我也会去，"蛤蟆说，"真是绝妙的想法。啥时候开张？"

　　"多半会是秋天，"鼹鼠答道，"你知道，等大多数动物放慢节奏、安静下来时，才能欣赏到鼹鼠幽居特别的氛围。"

　　"我完全明白你的意思。"老獾很喜欢鼹鼠造在地底下的屋子。

　　鼹鼠接着说："到了春天，我们会做野餐提篮。你们懂的，冷牛舌冷火腿冷牛肉、腌黄瓜沙拉法式小面包水芹三明治、罐头肉生姜啤酒柠檬苏打水，那几样。"

　　"真不知道他的想法是从哪儿来的？"河鼠思忖着。他想起和鼹鼠在河边的第一次野餐，但他没出声。

　　鼹鼠停了下来，他意识到也就是最近，自己变得不再那么害羞、那么沉默寡言了。刚才他成了大家关注的中心，清晰地描绘着他的计划，让人听得兴趣盎然。相比过去好些年，现在的鼹鼠更强大，也更快乐了。

　　他倚向河鼠，轻声说："你也会来的，对不对，鼠儿？"

　　"当然了，鼹儿。我会是最常光顾你的客人。"河鼠柔和地微笑着。他们都明白虽然鼹鼠要回老家，但彼此的友情依然坚固。

　　"好了，那么你呢，河鼠？到时你可就一个人了，你有什么打算？"蛤蟆问道。

河鼠重重地咽了咽口水。他早就知道这会是个窘境，但还是得面对。河鼠看着半空，避开朋友们的眼神，说道："我要离开河岸了。"

"你说什么？"老獾的声音严肃至极。

"我要离开河岸。确切地说，我要搬到南部的灰色海边小镇去。那是个靠着海港的可爱小镇，海港的一边很陡峭，矗立着高高的石头房子，还有一路延伸到岩石边上的花园。"河鼠的脑海里浮现出描绘的画面，他的声音更有力了，眼睛闪闪发亮，"石梯的台阶垂满一簇簇粉色的缬草，你若从那儿往下看，就能看到一片片波光粼粼的蓝色海面。海港泊满了小船，拴在老海堤的圆环和标柱上。海港一直都有嘎嘎作响的渡轮，迎来送往，载着人们上班和回家。

"小镇外就是美丽的海滩，在那儿可以捉虾，还有人会用托盘端来奶油茶点，你可以坐在岩石上享用。到了春天，所有通向悬崖顶端的树林和小径都铺满迎春花和紫罗兰，爬上去就能眺望从世界各地驶来的船只，它们在海港出入，鼓起的白帆宛若天上的白云。"说到这里，河鼠停了下来。朋友们知道他爱写诗，可听他这么诗意地说话还是头一次，大家都听入迷了。

"可是，没有我们在身边，你不孤单吗？"蛤蟆柔声问道。

"一点儿都不会，"河鼠回答，"我会和一个老朋友再续前缘。他是一只从伊斯坦布尔来的海鼠，我有好多年没见他了，最近他从南部的海边小镇写信给我，要给我一份工作。他有一家小书店名叫'旅人大全'，专门出售旅行相关的书，他想让我管理书店。书店很好找，就在教区教堂对面，离小镇码头只需步行一分钟。我会住在书店上面，虽然和我钟爱的河岸生活很不一样，我还是打定主意要去那儿。"

"好吧，鼠儿，"鼹鼠说，"你真让我猜不到，真的。但你这么一说，我倒是想起来，很久以前你就对'南下'那么痴迷，你总说要'南下'，当年我差点儿和你吵起来才让你恢复理智。你确定这回不是'南部狂热'再次发作？"

河鼠微微一笑。"不是了，鼹鼠，这回不同了。确实，那些回忆常常萦绕在我心头，其实是从我第一次遇见这位航海家朋友亚历山大开始的。但从那以后，我仔细琢磨我想要什么，也想过这次移居会给我的人生带来怎样的不同。你永远都是我亲密的朋友，鼹鼠，但我必须朝前走。另外，"河鼠轻声说，"我打算写一本书。"

"关于什么？"蛤蟆问。

"也许关于你，蛤蟆。关于你，老獾。还有你，鼹儿，关于我们一起经历的种种。不论发生什么，那些回忆鲜活得就像在我眼前放电影一样。"

"书名叫什么？"蛤蟆问。

"我现在还不确定。也许叫《灌木丛中的微风》？"

"不是什么好书名，"獾不屑地说，"得想个更抓眼球的标题，吸引公众注意。叫'船和獾'怎么样？听起来可带劲多了。"

"到时看吧，"河鼠说，"我还没决定，不过真要写书的话，我知道我一定能想出好名字。"他之前觉得，要把离乡的爆炸消息告诉朋友们会很困难，刚开口时也非常焦虑。可一旦说开了，他就知道自己要说什么，也自觉讲得很好。其实他已经在卧室的镜子前练习了好几遍，直到能流利自如，他甚至还设计了何时语气柔和、何时停顿一下以制造戏剧效果。他的讲话确实很有说服力。"但不用太有说服力，"河鼠心想，"我可不希望每逢节假日他们就跑来看我。"

侍者又端来些咖啡和花色小蛋糕，大家自己动手吃喝起来。蛤蟆和鼹鼠盘问起河鼠的具体计划，这让老獾坐得不耐烦，故意看起了怀表。

"我料定你们都想知道我打算做什么吧？"獾问。

"是的，当然了，"蛤蟆热情地回应，"你知道我们都很好奇，只不过鼹鼠同河鼠的计划太让人出乎意料，太让人兴奋了。"

"所以你们觉得我的计划不让人惊喜，是不是？"獾咄咄逼人地问。

"不，当然不是了，"河鼠说，"跟我们说说你的计划吧。"

"别像个孩子一样了。"鼹鼠一边想着，一边礼貌地向獾投去感兴趣的目光。

"好吧，行。"獾缓和了一些，说道，"不过你们可都得注意听，像鼹鼠那样，因为我有重要消息要宣布。"在场的动物感觉像是刚被校长训过话，都收敛起来。

"众所周知，这些年来我耗费了大量时间致力于本地公共事务，能成为野树林众多朴实民众的代表，我也十分自豪。目前有许多重要的议题需要解决，比如阻止地产开发商在野树林边缘造房，因为那些讨人厌的平房会进一步侵蚀我们的领地。再比如阻止那帮人建造横穿野树林的公路，那公路可是给你那嘀嘀叭叭让人头疼的汽车用的，蛤蟆。"

蛤蟆正想抗议说那是老早之前的事儿了，如今他到哪儿都骑自行车，可老獾严肃的面色和大嗓门让他把话咽了下去，还摆出恰如其分的歉意表情。不过蛤蟆知道老獾说的确实也是这么回事。獾是元老，野树林里不少小型动物都仰仗他来领导本地事务，在他的保护下很安心，这也不奇怪。

老獾当选了教区议员和野树林乡区议员，为保护家园和本地居民付出了很多心血。换个年代，他就是"环保斗士"，但对獾来说，保护大家赖以生存的栖息地是再自然不过的事了。

半月形眼镜架在老獾鼻尖，让他显得既睿智又威严，他接着说："我的理念向来是所有人共同生活在一个国家、一片野树林。我们要让人民融为一体，而不是让他们分裂成几派。作为拥有世界资源的幸运儿，我们有责任帮助那些可怜的贫民，设立本地野林医院是我贡献的一己之力，我也很荣幸成为医院董事长。"獾说到这儿停下来，等着鼓掌喝彩，可是没人有反应。

"好吧，真是受不了，"鼹鼠心想，"他是个古板的保守党，他以为他在发表选举宣言吗？我才不吃这一套，难道他认为我是他所谓的可怜贫民？我得让他知道，我可不买账！"但老獾没等任何人插话，又继续说下去。

"追求个人自由，适当关心弱势群体，这些事情都不能逾越法律的准绳。凡是触犯法律的人都必须受罚，只要犯罪证据确凿，就该从严惩治。"

蛤蟆一听这话，脸色瞬间发白，拨弄着领结，好像喘不过气来。他还记得在法官面前被判刑入狱的情形，想想就胆战心惊。

"行了老獾，别太过头了！别忘了谁在这儿。"河鼠说。

獾立马打住了，虽说他时常自大专横，却也有温情体贴的时候。"那啥，蛤蟆，我不是在说你。我考虑不周全，是我大意了。请你原谅。"

"没关系，"蛤蟆说，"只是这对我来说还是个敏感话题。"

"那是自然，"獾说，"我一直认为，如果一个人做到了改过自新，就像你这样，那么之后他就该完全恢复正常生活，重新融入社会。"这番善意宽容的话让蛤蟆感觉好多了，他又给自己倒了杯咖啡。

獾接着说："所以当我被任命为本地议员主席时，我感觉我的一生都在参与各类不同的事务，可以说，我这一生都在为民众奉献。"

鼹鼠知道老獾对自己的成就非常自豪，谈起他的社会活动和职位头衔也毫不低调。鼹鼠还清楚地记得当年最可怕的那次历险，也是他第一次见到獾的时候，他看见老獾家墨绿大门上挂着一串拉铃索，上面还有一块铜制招牌——最近已经换上新的了，上面精致地刻着四四方方的大写字体："太平绅士獾先生。"

"好吧，"蛤蟆这时有些不耐烦了，"所以你是说，你打算一如既往地做现在做的事情咯。"老獾严厉的眼神让蛤蟆赶紧补上一句:"这没啥不对的。为服务社会奉献一生什么的,相当重要。"

鼹鼠开始咯咯傻笑起来,被河鼠狠狠踢了一脚,正好踢到小腿旧伤口上,这才让他停下来。

"蛤蟆,你要是仔细听,就能听出我要告知各位的重大消息。"

所有人都期待着下文,獾十分郑重地说道:"我被推选为下一届选举的议会候选人了!"一瞬间,大家鸦雀无声。接下来是一片欢呼声,大家走过去握着獾的手、拍着他的背,向他道贺,让獾非常受用。

"我能想象你当选我们议员的样子,"河鼠说,"你很会演说,为人正直,还真正把河岸和野树林的每个居民都放在心上。"

虽说鼹鼠和獾政见不同,但鼹鼠也清楚老獾是个好人,他不由自主地喊道:"三声欢呼给老獾,喔喔,好耶!喔喔,好耶!喔喔,好耶!"

老獾被这突如其来的深情和敬重深深打动了,掏出一直带在身上的红手帕擦拭眼泪。一时间大家都在说獾一定能当个好议员,这好消息对獾来说是实至名归,而獾则说欢迎大家来帮忙写信封之类的话。等包厢渐渐安静下来，蛤蟆发现他的三位朋友都向他投来了期待的目光。

"好啦，蛤蟆，"鼹鼠说，"我们都等着听你的计划，你的计划一定非常棒。"

可怜的蛤蟆！他其实很怕这一刻，因为他想起之前有一次，他本可以用聪明才智和演唱天赋让朋友们为之叫好，但最终他决定放弃。那是几年前，他为夺回蛤蟆庄园而设宴庆祝的那回。此刻的他和那时候一样，他多想把这机会当成舞台，发表精彩的演说，或是来一段振奋人心的演唱，亮一亮他悦耳的男高音歌喉，让朋友们乐一乐。

可现在他知道，那样做并不合适，也不能真正表达他想说的话。杰出艺人、伪装大师、马路杀手，那样的蛤蟆是虚幻的，也是危险的。不论何时，只要那些角色上身，最后都以他痛哭流涕收场，甚至更糟。设宴那回，他表现得谦逊无私，不过是因为他惧怕老獾的怒气和不满，那时獾在他眼里就是个严苛挑剔的家长。

而现在他有意地选择不再扮演滑稽丑角的戏份了，他想起在主日学校听到的波利卡普的故事。很少有人记得波利卡普这位可敬的圣人，在他即将殉道之际，一个声音对他说："坚强点儿，波利卡普，你是个男子汉！"于是蛤蟆也告诉自己："坚强点儿，你是蛤蟆！"

"好吧，老兄们，"他柔声却坚定地说道，"我当然也做了些对我人生影响重大的规划，虽然你们可能会觉得有些无趣。各位，我找了份工作。"

"什么？"獾大吃一惊，"你的意思是你打算干一份有工资有报酬的活儿？"

"是的，"蛤蟆毫不畏缩地直视着獾，"其实我已经干起来了。"河鼠快坐不住了，心想："蛤蟆老兄果然每次都会带来惊喜。"

"那是什么样的工作呢？你到底打算做什么？"河鼠问。

"我准备经营房地产。你们都清楚，我花了很多时间打理庄园。要知道，我也不是整天都坐着大篷车到处乱转，或是开着快车玩生死时速。"此时蛤蟆看着鼹鼠，努力保持严肃，可还是憋不住咧嘴笑了。鼹鼠也笑了，所有人都跟着哈哈大笑起来。

"真好，"蛤蟆心想，"这是头一回大家和我一起笑，而不是嘲笑我。"

"说正经的，老兄们，打理庄园要干的活儿很多，我得监管庄园农场是否经营妥善，还得干砍树、种树之类的活儿。所以我找了几个人一起干，我们打算用我父亲留下来的钱成立自己的房地产公司。鉴于我特有的管理经验，我会负责更优质的楼盘，比如'河滨豪宅'和'乡村庄园'。"

鼹鼠心想："不就是势利鬼的楼盘嘛。"

"我必须告诉你，蛤蟆，"獾开口说，"我很高兴，也很满意你的计划。我知道你父亲也一定会觉得欣慰和惊喜的。干得很好，蛤蟆。"这番话在蛤蟆听来如同天籁。

"你会给公司取个什么名字？"务实的河鼠问。

"我们会叫它叫'骑士、蛤蟆与弗兰克'，公司将会设在伦敦。目前我们正在和伦敦河岸街的四家办公楼商谈。"

"你刚才说伦敦？"鼹鼠焦虑地问，"那不是在'大世界'吗？我以为咱们永远都不会上那儿去，甚至不会提起那地方。"

"胡说，"蛤蟆精神抖擞地说，"对'大世界'的误传太多了。当然，如果你体格小，又只住过弹丸之地，自然就觉得'大世界'又大又可怕。但过一阵你就能在那里找到容身之处，能力也比之前大得多。我觉得在那儿我有更多的自主权，当然也就有更多的机遇。"

"好吧，他也许说得对，"鼹鼠思忖着，"不过我很高兴我不用搬家。我熟悉河岸，河岸也熟悉我。就算它是个弹丸之地，我也会全心全意留守。"

"那么你还会待在蛤蟆庄园吗？"河鼠问。

"不了，我把它卖了。"

大家都惊呆了，一时无语。獾惊恐万分地说："你干了什么？你卖了蛤蟆庄园？难道你不知道他们会怎么折腾它？老天爷啊，他们会把它变成一家酒店，或是开个野生动物园，把外来动物也带过来，他们可无权待在这儿。"

"老獾，淡定。"蛤蟆这回稳稳地控制住了局面，"我把庄园卖给了几位企业家，他们打算把它打造成一所管理学院。我们已经达成协议，不能对庄园主楼做任何改造。"

"必须的，"獾插话说道，"它可是法定的历史保护建筑呢。"

"不过，他们肯定需要建一栋宿舍楼和其他设施。"蛤蟆继续镇定自若地说，"跟你们说心里话，卖了它是为了减轻我的负担。蛤蟆庄园的整修费用越来越高，西楼需要修葺屋顶，厨房也得彻底翻新。"

"那你会住在哪里呢？"鼹鼠问。

"我在村子里买了一栋房子，叫'老教区'，你们肯定听说过。房子不错，是维多利亚后期造的，花园方便管理，还能看到河谷的美景。这样我就能步行到车站，坐火车去市里上班。"

"估计这回坐的是头等座，不会再是火车踏板了吧？"

河鼠有些尖刻地说。

这话差点儿就惹恼了蛤蟆，但他只是笑着回答："是的，鼠儿，我会正当合法地乘火车，不会再伪装成洗衣妇了[1]。"

"蛤蟆，"鼹鼠说，"你总是让我惊喜！自打多年前我第一次见你，我就发现你是那么让人激动，那么不同凡响。我知道你经历了种种磨难，但至少你的生活很刺激。和我相比，我觉得你把人生体验到了极致。所以你会不会觉得新生活太乏味，只不过是'城里的某个人物'而已？"

"鼹鼠，你真的太善解人意了！你说出的想法正是我曾经一度不敢清醒承认的。的确，我做了许多刺激的事儿：偷车、越狱、变成伪装大师、跟警察'斗智斗勇'。噢，是的，我确实兴奋了一阵，那是肯定的。"蛤蟆的声音越来越响，开始膨胀起来。但他很快反应过来，恢复了镇定。他咳嗽了几声，接着说："我已经决定加入本地业余戏剧社，那样我就能从舞台上过足戏瘾，而不会把虚幻和现实搅和起来。经过好几轮试镜，不自夸地说，他们下一部戏将由我来领衔主演。"

"太棒了，蛤蟆老兄，"朋友们异口同声地称赞他，真

1　见《柳林风声》中的情节：蛤蟆在越狱后曾伪装成洗衣妇搭火车，并得到火车司机的帮助。

心为他欢喜，"要演什么角色？"

"演海盗版的蛤蟆，头顶骷髅帽，身着条纹衫，斜戴一块黑眼罩。"

"给咱们唱一段吧，求你了。"鼹鼠恳求道。

"是啊，快来一段吧，蛤蟆，这可是我最喜欢的轻歌剧了。"獾说。

"好啊，"蛤蟆回答，"不过你们可得跟我一起唱。"等全场安静后，蛤蟆开始了他的表演。他的嗓音清亮悦耳，把英雄戏仿体的诙谐韵味表现得恰到好处。他唱了几句后，朋友们也加入了合唱，歌词如下：

蛤蟆："我是蛤蟆，海上大盗！"
朋友们："海盗蛤蟆，喔喔好耶！"
大合唱："是啊，是啊，当个海盗多美妙！"

大家又唱又笑，蛤蟆歌兴大发，差点儿想唱完整个第一幕，这时敲门声响了。老侍者走进包厢歉意地说："打扰了，先生们，你们用完餐了吗？我们得收拾一下房间，为晚上的活动做准备了。"河鼠一看表，原来都快晚上六点了。于是大家都拿上外套，相互道别，一齐走入了夜色。室外的夜晚，月朗风清。

　　已在庭院里等候多时的出租车开到正门，接上了鼹鼠和老獾。司机正要发牢骚，一看是老獾，便立马改变主意，问候他晚上好。车开了，鼹鼠向窗外挥手告别。河鼠则信步走在路上，挥舞着手杖，想着海边的夏天，考虑着南下后他要买条什么样的船从海港出海。

　　蛤蟆用别针别好裤腿，从外套口袋里取出鸭舌帽，在头上调整好角度，骑上车一路朝庄园飞驰而去。他一心想着要做的事情，心情非常愉悦。他回想着朋友们听到他要开公司的反应，特别是獾对他说的一番话。"他也并非是个老顽固，"蛤蟆心想，"我想我处理得非常得当。"

　　接着，他发现自己哼起了在心底尘封多年的一个调调。他很快想起了歌词，便开始轻声哼了起来，并深深陶醉其中。

　　世上英雄辈出，
　　史书皆有出处。
　　若论大名万世瞩目，
　　还得数我蛤蟆！

　　唱完他便开怀大笑起来。"好啦，只是逗个乐，再说这诗写得还蛮有水平嘛。"于是他决定把整首歌都唱完。这一次没有旁人在场，他便放声高歌，等上了蛤蟆庄园坡道才唱完，累得上气不接下气，却欢乐得很。

> 牛津智者众多，
> 堪称知识渊博。
> 若要比试聪明才华，
> 不抵蛤蟆一半之多！

> 困在方舟的动物，
> 号叫着流涕痛哭。
> 是谁说"前方就是大陆"？
> 又是蛤蟆先生的鼓舞。
> 行军队伍前进，
> 统统向他致敬。
> 他是国王？还是将军？
> 不，他是蛤蟆先生！

> 女王连同一众女仆，
> 坐在窗前缝缝补补。

她喊："看哪！是谁如此玉树临风？"

她们答："他是蛤蟆先生。"

（全文完）

蛤蟆先生去看心理医生

作者 _ [英] 罗伯特·戴博德　　译者 _ 陈赢

产品经理 _ 周喆　刘昀琪　　装帧设计 _ 董歆昱　　内文排版 _ 吴偲靓

产品总监 _ 阴牧云　　技术编辑 _ 顾逸飞　　责任印制 _ 刘淼　　出品人 _ 路金波

营销推广 _ 孙烨

鸣谢

李松蔚

果麦
www.guomai.cc

以 微 小 的 力 量 推 动 文 明

图书在版编目（CIP）数据

蛤蟆先生去看心理医生 / （英）罗伯特·戴博德著；
陈赢译. -- 天津：天津人民出版社，2020.8（2022.11重印）
书名原文：Counselling for Toads: A
Psychological Adventure
ISBN 978-7-201-16169-3

Ⅰ.①蛤… Ⅱ.①罗… ②陈… Ⅲ.①心理学－通俗
读物 Ⅳ.①B84-49

中国版本图书馆CIP数据核字（2020）第116043号

著作权合同登记号　图字：02-2020-48 号

Counselling for Toads: A Psychological Adventure, first edition / by Robert de Board / 978-0-415-17429-9
Copyright © 1998 Robert de Board
Authorized translation from the English language edition published by Routledge,
a member of the Taylor & Francis Group. All Rights Reserved.
本书原版由 Taylor & Francis 出版集团旗下 Routledge 出版公司出版，并经其授权翻译出版。
版权所有，侵权必究。
本书中文简体翻译版授权由果麦文化联合天津人民出版社独家出版并在限在中国大陆地区销售。
未经出版者书面许可，不得以任何方式复制或发行本书的任何部分。
本书封面贴有 Taylor & Francis 公司防伪标签，无标签者不得销售。

蛤蟆先生去看心理医生
HAMA XIANSHENG QU KAN XINLI YISHENG

出　　版　天津人民出版社
出 版 人　刘　庆
地　　址　天津市和平区西康路35号康岳大厦
邮政编码　300051
邮购电话　022-23332469
电子信箱　reader@tjrmcbs.com

责任编辑　康悦怡
特约编辑　康嘉瑄
产品经理　周　喆　刘昀琪

制版印刷　北京盛通印刷股份有限公司
经　　销　新华书店
发　　行　果麦文化传媒股份有限公司
开　　本　880毫米×1230毫米　1/32
印　　张　6.5
印　　数　3,706,501-3,806,500
字　　数　108千字
版次印次　2020年8月第1版　2022年11月第38次印刷
定　　价　38.00元